LA PISCINE / LES ABEILLES / LA GROSSESSE

Dans *La Piscine*, la fille du directeur d'un orphelinat partage la vie quotidienne de tous les enfants de l'institution, exactement comme si elle non plus n'avait pas de famille. Deux plaisirs compensent cette situation : regarder un adolescent s'exercer à plonger dans la piscine, et tourmenter une petite fille de cinq ans dont les pleurs lui procurent un apaisement inégalable...

A un cousin éloigné qui sollicite son aide pour trouver un logement, une jeune femme recommande le foyer où elle vivait lorsqu'elle était étudiante. Le directeur, personnage singulier qui a, dans un accident, perdu tous ses membres sauf une jambe, leur fait savoir que l'établissement est désormais à peu près désert et qu'un processus de dégradation est à l'œuvre... Tel est le thème des *Abeilles*.

Dans le livre éponyme, la narratrice observe la grossesse de sa sœur d'un œil scrutateur et cruellement objectif, qui relève avec plaisir les désagréments et petits tracas de sa vie quotidienne. Le principal souci de ces mois de grossesse est la nourriture...

Ces trois textes ont en commun leur simplicité et leur concision exemplaires. On y retrouve également des personnages à la naïveté cruelle, à la perversité troublante, et des situations à l'étrangeté menaçante. Yôko Ogawa manipule merveilleusement l'art de la description, qui s'arrête sur les détails pour révéler des émotions profondément enfouies dans l'inconscient des êtres.

YÔKO OGAWA

Née en 1962, primée en 1991 au prix Akutagawa, Yôko Ogawa s'est fait connaître en France par ces trois courts romans, parus chez Actes Sud en 1995 et 1997.

DU MÊME AUTEUR

La Piscine, Actes Sud, 1995.
Les Abeilles, Actes Sud, 1995.
La Grossesse, Actes Sud, 1997.
Le Réfectoire un soir et une piscine sous la pluie suivi de *Un thé qui ne refroidit pas*, Actes Sud, 1998.

LA PISCINE

suivi de

LES ABEILLES

et de

LA GROSSESSE

Collection dirigée par Sabine Wespieser et Hubert Nyssen

Titre original :
Diving Pool
Editeur original :
Fukutake Publishing and Co. Tokyo, 1990

Titre original :
Dormitory
Editeur original :
Bungeishunju Ltd, Tokyo, 1991

Titre original :
Ninshin Calendar
Editeur original :
Bungeishunju Ltd, Tokyo, 1991

ISBN 2-7427-1894-X

Illustration de couverture :
Trois tulipes et une anémone (détail)
Rijksmuseum, Amsterdam

YÔKO OGAWA

LA PISCINE

suivi de

LES ABEILLES

et de

LA GROSSESSE

romans traduits du japonais
par Rose-Marie Makino-Fayolle

BABEL

LA PISCINE

Il fait très bon. En arrivant ici, j'ai toujours l'impression d'avoir été engloutie par un monstre. Je m'assieds, et mes cheveux, mes sourcils et le corsage de mon uniforme ne tardent pas à s'imprégner de la chaleur ambiante et à devenir moites. Je baigne dans une humidité plus douce que la transpiration, d'où s'élève une discrète odeur de crésol.

La surface de l'eau, bleu pâle, tremble tout en bas sous mes pieds. J'essaie en vain d'apercevoir le fond, gênée par les petites bulles qui ne cessent de remonter à la surface. Le plafond, vitré, est très haut. Je suis assise, comme accrochée, en plein milieu des gradins réservés au public.

Jun avance sur le plongeoir de dix mètres. Il a pour maillot le slip de bain rouge foncé que j'ai vu hier pendu sous l'auvent de la fenêtre de sa chambre. Arrivé à l'extrémité de la planche, il tourne lentement le dos à la surface de l'eau et aligne les talons. Tous les muscles de son corps sont bandés à l'extrême, comme s'il retenait sa respiration. C'est la ligne musculaire qui part de la cheville pour atteindre la cuisse à ce moment-là que je préfère dans son corps. Elle a l'élégance glacée d'une statue de bronze.

Il m'est arrivé parfois de vouloir essayer de définir la jouissance que j'éprouve au moment où il lève les deux mains comme pour saisir quelque chose dans l'espace avant de disparaître sous l'eau. Mais je n'ai jamais réussi à trouver les mots qui conviennent. Est-ce parce qu'il s'enfonce dans la vallée reculée du temps, là où les mots n'arrivent jamais ?

Je murmure :

"Coup de pied à la lune périlleux et demi au vol groupé."

C'est raté. Sa poitrine a frappé la surface de l'eau dans un grand bruit. Le choc a été suivi d'éclaboussures blanches à n'en plus finir.

Que l'exécution soit un échec comme maintenant ou qu'elle soit parfaite, sans provoquer aucune gerbe d'eau, mon sentiment reste inchangé. C'est pourquoi je ne prie jamais pour qu'il réussisse son plongeon, pas plus qu'il ne m'arrive d'être déçue ou d'applaudir avec enthousiasme. Le corps souple et élancé de Jun traverse la couche superficielle de mes sentiments pour être absorbé au plus profond de mon être. Dès que sa silhouette apparaît entre les bulles, la surface ébranlée de l'eau suit le contour de ses épaules qu'elle recouvre comme un voile. Avec ce voile sur les épaules, il nage lentement vers le bord de la piscine, d'une brasse ample et précise.

J'ai déjà vu des retransmissions télévisées de compétitions de plongeon avec une caméra installée sous l'eau. Les concurrents qui crèvent la surface vont directement jusqu'au fond dans leur élan. Le bassin est saturé de bleu. Les athlètes se recroquevillent sur eux-mêmes pour changer de direction et donnent un coup de pied au fond pour remonter à la surface. C'est beaucoup plus beau que le reste de l'exécution. Les chevilles et les mains qui écartent l'eau ont des mouvements élastiques, et le corps tout entier baigne dans la pureté du milieu aquatique. Si c'est une femme, ses cheveux ondulent comme sous l'action du vent. Leur expression à tous est si paisible qu'on dirait qu'ils respirent profondément.

Plusieurs concurrents plongent et viennent passer devant la caméra immergée dans un beau mouvement aérodynamique. J'aimerais qu'ils passent plus lentement pour avoir le temps d'observer leur silhouette enveloppée d'eau, mais il suffit de deux ou trois secondes pour que leur visage affleure à la surface. Les voir ainsi me rappelle que tous les êtres humains ont un jour baigné dans du liquide amniotique.

Est-ce que Jun lui aussi laisse flotter ses muscles en liberté au fond de la piscine comme un fœtus dans le ventre de sa mère ? Je crois que je me sentirais bien mieux si je pouvais contempler autant que je veux son corps libéré de toute tension.

Je suis sur les gradins de la piscine réservée au plongeon depuis un temps assez long. J'étais déjà là hier, comme avant-hier, comme il y a trois mois aussi. Je ne pense à rien, je n'attends rien, je n'ai aucune idée de ce qui m'amène ici. Je me contente de regarder le corps mouillé de Jun.

Nous vivons depuis plus de dix ans sous le même toit et nous fréquentons le même lycée, nous nous côtoyons donc plusieurs fois par jour et nous nous adressons la parole régulièrement, mais je sens qu'il est bien plus proche de moi à la piscine. Sans défense dans son maillot de bain, il plonge et replonge sans arrêt, le corps évoluant dans toutes sortes de positions : droit, groupé, carpé. Je dépose mon cartable à mes pieds et je m'assieds sur les gradins, dans ma jupe aux plis bien repassés et mon corsage frais lavé. Je ne peux même pas tendre la main vers lui.

Et pourtant cet endroit est privilégié. C'est une tour de guet réservée à mon usage personnel qui me permet de le voir. Il passe à travers moi sans s'écarter de sa route.

Après avoir marché jusqu'au bout de la rue commerçante du quartier de la gare, dès que j'entre dans la première petite rue au sud en partant de la nationale qui longe la voie ferrée, l'agitation des gens s'éloigne soudain. Au mois de mai comme aujourd'hui, au moment où je sors de la gare après avoir quitté la piscine où Jun a terminé son entraînement, il reste encore un peu de clarté de l'après-midi.

Après le square où il n'y a qu'un bac à sable et une fontaine, un foyer pour travailleurs célibataires et une maternité déserte, il ne reste plus qu'une succession de logements ordinaires. Je dois marcher vingt-cinq minutes dans cette rue toute droite avant d'arriver à la maison. Le flot de gens qui s'est écoulé hors de la gare en même temps que moi s'amenuise progressivement, alors que le peu de lumière qui restait encore est absorbé par le crépuscule arrivant à grands pas. A la fin, habituellement je me retrouve seule.

Il y a d'abord un bois après une succession de petites haies vives, puis un mur de parpaings en partie recouvert de lierre. Les endroits où il n'y a pas de lierre ont pris la couleur de la mousse, et le mur semble presque entièrement devenu végétal. Le portail est grand ouvert et une chaîne rouillée est là pour en empêcher la fermeture.

Je n'ai jamais vu ce portail fermé. Il est toujours ouvert en grand afin d'accueillir toutes sortes de gens qui viennent à la recherche d'un sauveur prenant en charge leurs souffrances et leurs difficultés. Ici on ne refuse personne. Moi non plus bien sûr.

Le long du portail se dresse un panneau recouvert d'une vitre et éclairé par un tube au néon. – Le précepte de la semaine : Qui, de moi ou d'autrui, est le plus précieux ? Nous sommes tous des êtres humains. Personne n'est un étranger sur cette terre. – Tous les samedis après-midi, mon père prépare son encre en feuilletant les Ecritures saintes et il lui faut beaucoup de temps pour composer son "précepte de la semaine". Sa boîte à calligraphie est très vieille et imprégnée de l'odeur de l'encre. Il verse un peu d'eau sur la pierre, frotte lentement le bâton en le tenant bien droit, trempe son pinceau. Ses gestes sont lents, presque traînants, et prennent la forme d'un cérémonial. Je passe toujours devant son bureau sans faire de bruit, pour ne pas troubler cette rigidité.

Quatre petits insectes attirés par le néon rampent entre les caractères tracés par mon père.

La nuit est tombée sans que je m'en aperçoive. Après le portail, il me semble qu'il fait encore plus noir que dehors. C'est parce que l'endroit croule sous la végétation. On a planté des arbustes à feuilles persistantes et d'autres à feuilles caduques dans la plus parfaite incohérence le long du mur de clôture. Les branches s'entremêlent au hasard de leur croissance. Quant à la cour, elle est entièrement recouverte d'une confusion de verdure, sans que l'on sache s'il s'agit de mauvaises herbes ou de plantes à fleurs.

Au milieu de tout cela, le feuillage de deux grands ginkgos se découpe en plus sombre sur le ciel nocturne. Tous les ans à l'automne, les enfants en ramassent les noix, les mains protégées par des gants de travail. Jun qui est l'aîné, assis à califourchon sur une grosse branche, secoue l'arbre et fait tomber un mélange de fruits et de feuilles mortes de couleur jaune, tandis que les petits courent dans tous les sens en chahutant. A chaque fois que je passe près de ces arbres, je me souviens de la chair des noix écrasées comme des vers sous les semelles des chaussures des enfants et de la violente odeur qui s'en dégage.

A gauche des ginkgos se dresse l'église, puis relié par une galerie et placé en biais dans le fond, l'institut Hikari. C'est là que j'habite.

L'humidité bleu pâle respirant la propreté dont je me suis entièrement imprégnée sur les gradins de la piscine s'est complètement évaporée pendant que je revenais jusqu'ici, et j'ai l'impression que même mes sentiments se sont desséchés. C'est toujours pareil. Lire le "précepte de la semaine", passer sous le portail ouvert à tous, ouvrir la porte d'entrée de l'institut Hikari en me rappelant l'odeur des noix de ginkgo, sont des choses toutes simples que je suis incapable de faire sans y penser. Quelque chose de sec qui griffe ma poitrine m'en empêche.

Le spectacle de l'institut Hikari plongé dans la verdure est bien réel, et pourtant je le sens complètement flou. A moins qu'au contraire mes sens, aiguisés au point d'en être douloureux, n'absorbent le paysage à l'infini. Quoi qu'il en soit, il y a une distorsion infranchissable entre moi et l'institut et je crois que c'est cela qui m'étouffe.

Et pourtant ici c'est chez moi. Ma famille habite là. Jun aussi. C'est ce que je me dis en ouvrant la porte de l'institut après avoir franchi les yeux fermés le rideau de verdure.

En faisant le tri dans mes souvenirs, je m'aperçois que ce sont les premiers qui restent gravés le plus profondément dans ma mémoire.

C'était un après-midi du début de l'été et les rayons du soleil étaient déjà chauds. J'étais en train de jouer avec Jun près du puits dans le jardin derrière.

Le puits était comblé depuis longtemps avec de la terre, et il y poussait un figuier. Nous devions avoir quatre ou cinq ans et Jun venait tout juste d'être recueilli à l'institut. C'était un enfant illégitime dont la mère était alcoolique au dernier degré, qui nous avait été confié par un de nos adeptes les plus fervents.

J'avais brisé une branche du figuier et je regardais le liquide blanc et visqueux apparaître à l'endroit de la cassure. La sève était encore plus épaisse que je ne l'avais imaginé et collait à mes doigts. Je dis à Jun, tout en cassant une autre branche :

"Viens, c'est l'heure de la tétée !"

Je l'avais fait asseoir sur mes genoux, et un bras autour de ses épaules, je m'appliquais de l'autre main à lui mettre la branche de figuier entre les lèvres. A cette époque, rien dans son corps n'évoquait les lignes musculaires brillantes recouvertes par l'eau transparente de la piscine. Au creux de mon bras, il avait seulement la souplesse d'un enfant ordinaire. Les lèvres arrondies, il s'était mis à téter comme un bébé l'aurait fait. Les deux mains posées sur la mienne, il faisait même semblant de tenir un biberon imaginaire. Le lait de figuier avait une odeur de terre amère.

Soudain, je me suis sentie la proie d'un sentiment aussi horrible qu'incohérent. C'est ainsi que cela a commencé. C'est peut-être le lait de figuier ou la souplesse du corps de Jun qui ont déclenché quelque chose. A moins que cela ne remonte plus loin, et que ce quelque chose de mauvais se soit glissé en moi, peut-être même avant ma naissance.

— Et d'abord, qui est-il ce Jun ? Il est arrivé un jour brutalement dans ma vie et nous habitons ensemble. Nous ne sommes pourtant pas frère et sœur. Et il n'est pas le seul. Chez moi il y a plein d'autres gens indéterminés qui se conduisent comme s'ils faisaient partie de la famille. En fait, nous devrions être trois : mon père, ma mère et moi. Nous sommes différents de n'importe quelle famille ordinaire. Notre famille n'est pas comme les autres.

Le sentiment d'écœurement que j'éprouvais était en train de devenir étrangement concret. Je cassai une branche plus épaisse qui me semblait devoir donner plus de lait, pour en frotter la section sur sa bouche. Il lécha ses lèvres en fronçant légèrement les sourcils. C'est à ce moment précis que les rayons du soleil se font plus forts et plus épais, que le paysage s'estompe et devient blanc, et que mon film le plus ancien se termine.

Depuis, ce phénomène étrange n'a pas disparu et se répète. Je ne peux pas rester indifférente aux mots "famille" ou "foyer" quand je les entends, comme s'ils étaient d'une facture particulière. Mais en réalité ils sonnent creux et roulent à mes pieds comme des canettes vides.

Mes parents sont les dirigeants de l'église qui sert d'intermédiaire entre Dieu et les fidèles, et sont aussi directeurs de l'institut Hikari. Cet institut est un orphelinat dont je suis la seule pensionnaire à y être née sans être orpheline. C'est cela qui a défiguré ma famille.

J'ouvre de temps en temps les albums rangés sur l'étagère du bas de la bibliothèque de la salle de jeux, comme si je voulais vérifier la nature de ce sentiment qui m'obsède. Je m'assieds, les jambes sur le côté, au milieu des livres d'images et des cubes éparpillés sur le sol, et je prends celui qui me tombe sous la main.

Les photos ont toutes été prises au cours des fêtes de l'institut Hikari. Celle des cerisiers en fleur, la pêche à pied au bord de la mer, le barbecue ou le ramassage des noix de ginkgo. Elles sont pleines d'orphelins. Les visages des enfants se suivent comme sur les photos de classe prises au cours d'excursions. Je suis au milieu d'eux. Quand l'excursion est terminée, les écoliers se dispersent et rentrent chez eux, mais les orphelins eux rentrent tous ensemble à l'orphelinat. Ils sont toujours autour de moi.

En général, mes parents sont derrière le groupe, souriants. Le sourire de mon père est calme, serein, égal, et finalement légèrement cérémonieux. Ce n'est pas étonnant, puisqu'une grande partie de sa vie est consacrée aux cérémonies religieuses. Il est presque toujours plongé dans des prières interminables et saintes. Je regarde les photos de lui avec les mêmes yeux que si je contemplais l'autel, agenouillée sur mon prie-Dieu.

Je feuillette l'album avec indifférence. Je regarde ces photos de groupe qui ne se renouvellent pas. Je fixe douloureusement cet album qui ne contient ni ma taille ni mon poids à ma naissance, ni l'empreinte de mon pied faite à l'encre de Chine, ni instantanés de nous trois. Et le bruit sec que je fais en le refermant ressemble à celui de ma famille écrasée sous la masse des orphelins.

Il m'arrive parfois de penser qu'il aurait peut-être mieux valu pour moi aussi être orpheline. J'aurais préféré avoir subi au moins l'un de ces malheurs que l'on trouve en abondance ici : mère alcoolique, père assassin, parents décédés, enfants abandonnés. J'aurais ainsi pu devenir une parfaite orpheline. J'aurais sans doute déployé des trésors d'imagination pour considérer les directeurs de l'institut comme mes véritables parents, ou feindre l'ingénuité afin d'être recueillie par la meilleure famille possible. Ma vie aurait certainement été beaucoup plus nette de cette façon.

Du fond de mon souvenir de figuier poussant sur les ruines d'un puits, je n'ai cessé, comme un ange, de concevoir le même désir. Une maison ordinaire, simple, discrète.

Au moment où après la disparition de Jun dans les vestiaires je reprends le cartable à mes pieds tout en regardant la surface de la piscine retrouver son calme, quand le dimanche soir j'attends, immobile pour ne pas le rater, le bruit de Jun qui rentre d'une compétition en se frayant un passage à travers la végétation plongée dans l'obscurité, je sens mon désir poindre comme de la brume. Quand ma poitrine se serre sans raison mais que cette sensation n'est pas assez forte pour être qualifiée de tristesse, mon pur désir s'élève lentement et je finis par ne plus pouvoir l'atteindre.

Je sais qu'il n'y a rien à faire, mais je cherche en tâtonnant. Dans la vie il existe beaucoup de choses auxquelles on ne peut rien, et je sais que la pire des choses pour moi, c'est l'existence de cet institut.

Jun était de retour. Une réunion après l'entraînement avait fait qu'il arrivait une heure après moi.

Environ une fois par semaine ou tous les dix jours, je m'arrangeais pour me trouver dans l'entrée près du téléphone ou du canapé à peu près à l'heure où il rentrait. Je faisais mon possible pour être naturelle, car je savais que si les enfants, le personnel, mes parents, ou pire encore Jun, s'en apercevaient, la situation aurait pu devenir très compliquée. Je téléphonais donc sans motif à des amies de classe ou je feuilletais des magazines tout en me trouvant ridicule.

Le soir en général le hall d'entrée est vide et calme. Il contient juste un vieux sofa élimé et taché, un téléphone à cadran démodé, et la décoration est sobre. La lumière de l'ampoule incandescente s'étale en jaune sur le plancher.

Ce jour-là, je m'étais autorisée à "accueillir" Jun. Il entra dans le hall vêtu de son blazer d'uniforme, son cartable et son sac de sport en plastique à la main.

"Bonsoir !

— Bonsoir."

J'avais l'impression que les mots les plus simples prenaient dans sa bouche une profondeur insoupçonnée. Il venait de terminer l'entraînement et son corps avait conservé une certaine fraîcheur où on décelait l'odeur de propre de la piscine. J'étais encore plus heureuse quand ses cheveux étaient restés légèrement humides.

"J'ai faim !"

Il laissa tomber ses deux sacs et se jeta lourdement sur le sofa. Mais sans mauvaise humeur, car même sa fatigue fleurait bon la piscine.

"Comme je t'envie de pouvoir faire du sport et d'avoir faim ! Je ne fais rien, et pourtant je n'oublie jamais l'heure des repas. Avoir faim dans ces conditions n'est qu'une sensation vague et inutile, tu ne trouves pas ? lui dis-je, appuyée au téléphone.

— Tu devrais faire du sport toi aussi."

Je fis non de la tête tout en la gardant baissée.

"Je préfère être spectatrice plutôt que d'en faire."

J'eus un sursaut en prononçant ces mots. S'était-il rendu compte que cela faisait près d'un an que je le regardais s'entraîner du haut de la tribune ?

Comme il s'agissait pour moi d'un moment privilégié tenu secret, je m'asseyais à l'endroit le plus éloigné du plongeoir, et je faisais aussi attention à ne pas le rencontrer quand il se trouvait avec les autres membres de son club à l'entrée de la piscine. Il était donc normal qu'il ne se fût aperçu de rien. Mais en même temps, un sentiment contradictoire me faisait le regretter un peu.

Jun ne m'avait jamais tenu de propos embarrassants en me demandant par exemple si j'étais venue la veille à la piscine, ou ce que je faisais dans mon coin. Je croyais que nous serions plus proches si, au lieu de ne pas le dire parce qu'il ne s'en était pas aperçu, il le savait mais faisait exprès de ne pas en parler pour me laisser continuer à agir comme je voulais.

"Aujourd'hui, je me suis fait mal au poignet. Il a touché l'eau de travers.

— Lequel ?"

Il me montra celui de gauche en le secouant. J'ai toujours eu très peur que Jun ne se blesse. Cela montre à quel point son corps est important à mes yeux. Le contour de ses muscles, le brillant de sa poitrine ou la pénétration de son regard à l'instant même où il décide de plonger révèlent une belle sensualité habituellement refoulée. Son corps est tellement parfait à mes yeux que je m'inquiète dès qu'il a subi la moindre blessure.

"Ça ira ? Les sélections interclubs ne vont pas tarder, n'est-ce pas ?

— Ce n'est pas grave", me répondit-il brièvement.

Afin de percer la surface de l'eau comme une aiguille, sans provoquer le moindre jaillissement, Jun serre les poignets l'un contre l'autre pour forcer le mur d'eau tremblotante. C'est pour cela que ses poignets sont les plus solides que je connaisse.

A ce moment-là, nous entendîmes un bruit de pantoufles claquant dans le couloir et Naoki arriva en courant.

“Bonsoir Jun ! Dis, tu veux bien faire le poirier ?”

Naoki tournait autour de Jun en sautant comme un loulou de Poméranie. Il avait trois ans, souffrait d’asthme, et avait toujours la voix rauque.

“D’accord, mais la prochaine fois.”

Jun se leva avec Naoki pendu à son cou. Tous les enfants de l’institut Hikari l’aimaient. Personne ne l’avait jamais vu en colère. Sa gentillesse n’avait pas de bornes. Les enfants l’aimaient exactement de la même façon que je l’aimais moi aussi, et nous avions tous envie de le toucher. Alors qu’il s’en allait avec Naoki dans les bras, je lui suggérai à mi-voix de faire attention à son poignet.

“Oui mais quand ? Et pas seulement les pieds en l’air, je veux aussi que tu marches sur les mains.”

La voix éraillée de Naoki disparut au fond du couloir.

Ce que je trouvais alors le plus étrange ici, c’était l’heure des repas. Cela venait peut-être du fait que la cuisine et la salle à manger se trouvaient au sous-sol.

L’église et l’institut Hikari, construits en bois à l’occidentale, sont assez vieux. Leur ancienneté est palpable dans chaque planche de bois, dans chaque châssis de moustiquaire et dans chaque carreau de faïence. On a multiplié les constructions supplémentaires, aussi l’ensemble est-il extrêmement compliqué et même de l’extérieur il est difficile d’en saisir la forme générale. C’est encore plus imbriqué à l'intérieur, où des couloirs sinueux se succèdent interminablement et où l'on trouve un peu partout des petites dénivellations.

En suivant le couloir labyrinthique qui part du hall d'entrée de l'institut, on réalise soudain que l'endroit où l'on se trouve est au premier étage. On surplombe alors la cour qu'on aperçoit sous les fenêtres.

Au bout du couloir le sol est découpé de la taille d'un tatami en bordure duquel on aurait fixé une solide poignée métallique. En tirant sur la poignée, cette partie du couloir se relève avec un grincement sec. On fixe l'anneau à un crochet qui pend du plafond, et l'on se retrouve avec le vide à ses pieds. C'est de là que part un escalier abrupt menant à la cuisine et à la salle à manger.

Tous les enfants aimaient cet escalier secret. Quand venait l'heure des repas, c'était à qui soulèverait la trappe, et cela donnait presque toujours lieu à des disputes. Les enfants s'engouffraient l'un derrière l'autre dans l'escalier, sous le regard sévère du directeur et de la puéricultrice.

La poignée rouillée rugueuse au toucher, le grincement du vieux plancher ou l'odeur de cuisine qui montait le long de l'escalier me rappelaient le *Journal* d'Anne Frank. – L'escalier secret dissimulé derrière la bibliothèque pivotante, le plan de l'Annexe, l'étoile jaune de David, la carte où l'avancée des troupes du débarquement en Normandie est marquée avec des épingles, les repas ennuyeux avec Peter, le couple Van Daan et

M. Dussel, au cours desquels chacun mesure ses gestes et ses paroles. – Comme Anne, je sentais mon appétit diminuer au fur et à mesure que je descendais cet escalier secret.

Même si la salle à manger était en sous-sol, elle n'était ni sombre ni humide. Il y avait plusieurs grandes fenêtres qui donnaient sur le jardin au sud, et sur les vitres desquelles oscillaient les ombres des taillis au nord.

Mais là aussi, la vétusté présente un peu partout était inévitable. Les poêles et les casseroles alignées sur l'égouttoir avaient noirci, le mixer, le four et le réfrigérateur étaient de vieux modèles qui n'avaient pour eux que leur solidité, et la grande table de salle à manger en bois était couverte d'un réseau d'égratignures et creusée par endroits.

Le petit déjeuner qui rassemblait tous les enfants dans une ambiance d'agitation, au milieu des miettes de nourriture, m'était souvent pénible à supporter. Quant au dîner, l'habitude voulait que les petits, une dizaine environ, mangent plus tôt avec mon père qui se levait avant l'aube pour les matines, tandis que Jun, Reiko qui était en troisième, la puéricultrice de garde, ma mère et moi nous mangions après. Mais même ce dîner entre adultes, sur une table nettoyée, me dégoûtait.

Ma mère était celle qui était la plus gaie et qui avait la meilleure santé de tous les pensionnaires de l'institut. Elle parlait beaucoup, surtout pendant le dîner. Elle ne cherchait pas à trouver un sujet de conversation permettant à chacun de s'exprimer, mais traitait de bout en bout uniquement de choses la concernant.

En entendant sa respiration saccadée, je me demandais avec cruauté s'il ne lui arrivait pas parfois, à force de bavarder, de se détester elle-même.

Quand elle se mettait à parler, les autres étaient obligés de se taire. Ne restaient dans mon oreille que quelques conjonctions de coordination telles que "ainsi", "mais" ou "pourtant", et le bruit de mastication qui venait parfois se mêler à sa voix.

Je finissais par me demander avec inquiétude si elle n'allait pas fatiguer Jun et les autres avec son bavardage incessant. J'avais envie d'écraser entre mes doigts ses lèvres qui se tortillaient sans arrêt comme deux chenilles. Il faisait déjà complètement noir dans le jardin et les vitres étaient devenues d'un vert profond, mais sa voix continuait toujours son discours tumultueux. Reiko et la puéricultrice, le nez plongé dans leur assiette, acquiesçaient de temps à autre d'un signe de tête.

A ce moment-là, les cheveux de Jun étaient déjà complètement secs. Son corps, lorsqu'il n'était pas mouillé, semblait encore plus petit et plus doux.

Jun n'a jamais soupiré lorsque ma mère bavardait trop. Il prêtait l'oreille à sa voix qui résonnait avec insistance, acquiesçait poliment, mangeait avec appétit et, comme pour l'encourager à parler encore plus, lui posait même des questions. Sa voix se glissait habilement entre les rafales de ma mère, qui, tournée vers lui, continuait avec encore plus de fougue.

Je regardais son profil en me demandant pourquoi il pouvait être aussi gentil alors que j'étais moi-même dépassée par la méchanceté que j'éprouvais. Ses muscles, quand il était redescendu de son plongeoir pour revenir à l'institut, redevenaient insensiblement aussi doux que du coton, absorbant dans l'ordre tout ce qui me portait sur les nerfs, que ce fût la voix rauque de Naoki, les restes des repas répandus par les enfants, ou encore le bavardage inconsidéré de ma mère. Comme il était né de père inconnu et que sa mère, alcoolique, l'avait abandonné, on pouvait légitimement se poser la question de savoir d'où il tenait cette gentillesse. Je suffoquais du désir de me baigner à la source qui se trouvait au plus profond de sa douceur, avant d'essuyer mon corps au coton douillet de son âme.

On entendait au-dessus de nous des bruits de pas qui se chevauchaient. C'était l'heure du bain, et les enfants chahutaient sans doute avec le talc. Je regardais les lèvres visqueuses de ma mère tout en donnant des petits coups de baguettes dans du gras de viande. Puis je passais la bouteille de sauce à Jun dans le but de l'entendre me dire merci, ce qui avait le pouvoir de faire disparaître la sensation d'écœurement que j'éprouvais.

Son bavardage se poursuivait invariablement jusqu'au moment où tout le monde joignait les mains pour l'action de grâces.

C'était par un paisible après-midi de dimanche. Mes parents étaient sortis pour enregistrer une émission religieuse à la radio. Reiko qui partageait ma chambre était en train de lire une revue scientifique, allongée sur la couchette supérieure de nos deux lits superposés. Jun était comme tous les dimanches à son cours de ballet. Il avait commencé récemment sur le conseil de son entraîneur, afin de préserver la souplesse et la ligne de son corps. Je n'arrivais pas à imaginer sa silhouette pendant le cours de danse, lui que je voyais toujours auréolé de gouttelettes, les muscles étincelants et ondoyants dans l'eau qui les absorbait. J'étais jalouse des petites filles aux cheveux retenus en chignon et à la poitrine plate moulée dans un léotard blanc.

En l'absence de Jun, le dimanche après-midi s'écoulait lentement dans la morosité.

Quand j'en avais assez de réviser mon anglais, je feuilletais mon dictionnaire et m'attardais sur les illustrations, simples mais étrangement réalistes, qui représentaient un albatros, un alambic, une paire de chenets ou un gaufrier.

Dehors il faisait un temps magnifique. Le soleil resplendissait alentour, saupoudrant tout d'une poussière dorée. L'ombre du feuillage du ginkgo se détachait en tremblant sur le mur de l'église. Le vent qui se glissait entre les rideaux nous apportait un avant-goût de l'été.

"Tu ne vas pas faire ta visite aujourd'hui ?" demandai-je à Reiko qui était toujours sur son lit, après m'être à moitié retournée sur ma chaise.

“Non, pas aujourd’hui”, me répondit-elle, sans lever les yeux de sa revue.

Elle était arrivée ici à peine six mois plus tôt. On avait apporté dans ma chambre des cartons remplis à ras bords de livres de poche et de vêtements fatigués et légèrement démodés avant que je découvre Reiko qui se tenait derrière la porte. Elle était plus grande que moi, assez grosse, et portait des lunettes à verres très épais. Elle était encore lycéenne, et pourtant son corps était avachi par endroits, comme celui d’une femme d’âge mûr.

“Bonjour, je suis enchantée de te connaître.”

Elle était entrée dans la chambre avec lenteur, comme si elle avait été gênée par son grand corps.

Il était rare de voir arriver à l’institut Hikari des jeunes aussi âgés qu’elle. La plupart des enfants y passaient leur prime jeunesse et s’en allaient dès qu’on leur avait trouvé une famille d’adoption. Jun avait été le premier à aller au lycée tout en restant à l’institut.

Les parents de Reiko étaient tous les deux en hôpital psychiatrique. Il ne s’agissait pas d’une hospitalisation passagère, mais bien d’un trouble plus profond, sans espoir de guérison. Ils n’avaient pratiquement aucune chance de pouvoir en sortir pour retrouver une vie normale.

“Ils vont être tristes s’ils ne te voient pas.”

Je savais qu’elle n’aimait pas trop évoquer ses parents, et j’en parlais sans cesse. Les enfants qui étaient là avaient toutes sortes de malheurs que je pouvais décrire, mais je trouvais qu’avoir ses deux parents souffrant de maladie mentale était le pire de ce qu'on pouvait supporter.

"Je serais tellement heureuse s'ils pouvaient en être tristes."

Reiko retourna sa revue, enleva ses lunettes et s'assit en travers de son lit. Ses yeux étaient si petits que lorsqu'elle enlevait ses lunettes, on ne savait pas très bien dans quelle direction elle regardait.

"Mon père et ma mère ne sont plus capables d'éprouver une quelconque tristesse depuis bien longtemps, tu sais."

Elle utilisait parfois des expressions de jeune fille bien élevée qui ne concordaient pas avec l'impression qu'elle donnait quand on la voyait pour la première fois, et cela me troublait.

"Et c'est cela qui te rend malheureuse ?"

Pour toute réponse, Reiko se contenta de battre nerveusement des paupières. Il était d'autant plus difficile d'imaginer ce qu'elle pouvait ressentir que son regard était flou. Le contour de ses lèvres pouvait laisser deviner un léger sourire, à moins que, blessée, elle n'eût ravalé ses paroles. Plusieurs secondes s'écoulèrent dans un silence glacé.

"Les agrafes ont sauté, dit-elle soudain, comme si elle parlait toute seule.

— Les agrafes ?

— Oui. Les agrafes qui nous reliaient tous les trois sont parties. C'est irrémédiable."

Je me demandais quel bruit cela pouvait bien faire quand les agrafes d'une famille sautaient. Un petit chuintement comme quand on extrait le noyau d'un fruit ? Ou alors une explosion semblable à celles qui se produisent au cours de réactions chimiques ?

Reiko m'observait du haut de son regard flou. La graisse accumulée sur ses joues, ses mâchoires et en bordure de ses yeux semblait noyer ses sentiments. Elle remit ses lunettes, s'allongea et ouvrit à nouveau sa revue.

La blessure qui lui avait été infligée quand les agrafes avaient sauté s'était sans doute envenimée. Dans mon cas, il n'y avait même pas eu d'agrafes à la naissance. Je trouvais que nous étions aussi malheureuses l'une que l'autre.

Je me retournai vers mon bureau et me mis à écrire sur mon cahier des mots de vocabulaire anglais dont je ne saisissais même pas la signification. Le brouhaha des enfants qui s'amplifiait depuis tout à l'heure ne troublait pas la quiétude transparente qui flottait entre nous.

L'institut Hikari était toujours bruyant. C'était un mélange de cris, de pleurs et de bruits de pas qui se logeait dans le moindre recoin, comme l'esprit habitant des lieux.

A ce moment-là, on entendit des coups précipités sur la porte. Reiko et moi répondîmes en même temps, et une puéricultrice entra avec Rie dans les bras.

"Nous allons tous à l'église pour le bazar mais Rie est un peu grippée, je préférerais la laisser ici. Est-ce que je peux vous la confier ? demanda-t-elle rapidement, tout en berçant Rie dans ses bras.

— Bien sûr, je vais m'en occuper."
Je me levai pour la prendre dans mes bras.
"Reiko, tu ne veux pas venir avec moi ? demanda la puéricultrice en s'adressant au lit du haut.
— Vous êtes gentille de m'inviter, mais aujourd'hui j'ai d'autres choses à faire."
Elle avait refusé comme d'habitude, avec une politesse exagérée qui ne lui allait pas.
Avec ses un an et cinq mois, Rie était la plus jeune pensionnaire de l'institut. Elle était vêtue d'une robe de chambre rouge passée sur une barboteuse blanche, et son nez qui coulait était tout brillant.
Après le départ des enfants en un groupe tumultueux conduit par trois autres puéricultrices, je descendis au jardin avec Rie dans les bras.
L'ombre était d'autant plus fraîche dans le jardin que les rayons du soleil étaient étincelants, et les contours du tricycle, des pots de fleurs ébréchés et des mauvaises herbes qui poussaient là se découpaient très nettement dessus. Des caisses de bouteilles de jus de fruits consignées et des cartons vides décorés d'asperges s'empilaient dans le plus grand désordre près de l'entrée de service.
Le figuier qui avait été planté à l'emplacement du vieux puits ne donnait plus de figues depuis longtemps et il avait été détruit. A la place, il ne restait plus qu'un petit monticule de terre.
Rie jouait avec une petite pelle pour enfants au sommet de ce monticule. Je la surveillais de loin, assise sur une caisse de bouteilles de jus de fruits.

Ses jambes qui dépassaient sous sa robe de chambre étaient blanches et lisses comme une motte de beurre. Les cuisses des bébés, si différentes soient-elles, foncées et parsemées de taches, irritées par une éruption quelconque, ou couvertes de stries tellement elles sont potelées, attirent toujours mon regard. Les cuisses des bébés deviennent érotiques à force d'être sans défense, et semblent d'une fraîcheur étrange, comme si elles appartenaient à un autre être vivant.

Rie prenait de la terre avec sa pelle qu'elle tenait dans sa main droite, pour la verser dans le petit seau qu'elle avait dans la main gauche. Elle répétait le même geste sans arrêt depuis un moment. Et dès qu'un peu de terre tombait de la pelle sur sa main, elle venait vers moi d'un pas encore mal assuré. Ses jambes franchissaient en chancelant la ligne de partage entre le ciel d'un bleu étincelant et l'ombre paisible.

Elle poussait des petits cris plaintifs en me tendant sa main sur laquelle un peu de terre était tombée. Je soufflais en tapotant sa paume à peine salie pour la nettoyer.

Tous les bébés d'à peu près le même âge que Rie ont une odeur bien particulière. Celle, poussiéreuse, des couches en cellulose, à laquelle se mêle celle plus pâteuse de la nourriture pour bébés. Celle de Rie était particulière, il s'y mêlait une écœurante odeur de beurre frais, semblable à celle qu'on perçoit au moment où on le sort de son emballage.

Tout en jouant avec la terre, Rie venait me voir à intervalles réguliers, toutes les deux ou trois minutes, pour que je lui nettoie les mains. Cette régularité toute simple me conduisait progressivement vers un sentiment impitoyable. Ce n'était pas désagréable au point d'en éprouver de l'irritation, car il m'apportait même une sorte de bien-être secret. Ces derniers temps, il m'arrivait souvent d'être la proie de ce "sentiment de cruauté". C'était cette curieuse odeur, si particulière aux bébés, qui était allée le chercher au plus profond de moi pour le sortir au grand jour. La douleur vague que j'éprouvais alors me fut comme une caresse sur la poitrine, douce et consolante.

Pendant que Rie me tournait le dos, je me dissimulai discrètement derrière la porte de service. Elle recommença aussitôt à se préoccuper de ses mains sales, laissa tomber sa pelle et son seau à ses pieds pour regarder ses deux paumes à tour de rôle. Puis elle se tourna vers l'endroit où j'aurais dû me trouver pour me demander de l'aide. Se rendant compte qu'il n'y avait personne, elle crut qu'elle avait été abandonnée, ce qui déclencha ses pleurs aussi distinctement que si l'on avait appuyé sur un bouton.

Ses sanglots, si violents qu'ils faisaient craindre une quelconque rupture à l'intérieur de son corps, assouvirent mon "sentiment de cruauté". J'espérai intensément la voir pleurer encore plus. J'étais d'autant plus heureuse que je pouvais, comme ce jour-là, goûter pleinement ces sanglots pour moi toute seule, et que personne n'était présent pour la prendre dans ses bras afin de la consoler et de faire cesser ces sanglots, et enfin parce qu'il s'agissait d'un bébé à qui on ne pouvait rien expliquer.

Alors qu'en parvenant à l'âge adulte, chacun arrive à trouver quelque part un endroit secret pour y cacher angoisse, solitude, peur ou tristesse, les enfants n'arrivent pas à dissimuler, et dispersent tout sous forme de pleurs. Je voudrais lécher tranquillement ces larmes. Je voudrais, en passant ma langue sur cet endroit fragile qui suppure, blesser encore plus profondément le cœur humain.

Le vent sec soulevait les cheveux follets de Rie. Depuis un moment, le soleil remplissait le ciel sans faiblir, comme si le temps s'était arrêté. Rie pleurait à perdre haleine.

Dès que je sortis de derrière la porte, elle se mit à crier encore plus fort et se précipita sur moi, ses cuisses qu'elle avait comme du beurre toutes tremblantes. Alors que je la soulevais en la tenant bien serrée dans mes bras, ses pleurs se changèrent en hurlements de colère comme si elle me demandait la raison pour laquelle je l'avais laissée seule. Puis elle frotta ses joues trempées de larmes et de morve sur ma poitrine. Cette étrange odeur si particulière aux bébés imprégna alors mes vêtements.

Quand de jeunes enfants se mettent à pleurer, ils se précipitent toujours dans les bras de quelqu'un. Ils ont envie d'être serrés sur une poitrine large et confortable. Ils savent, bien que personne ne leur ait appris, que cela leur permet de se calmer dans de bonnes conditions. Cette insolence puérile me rend encore plus cruelle.

Se peut-il que mon désir d'être enveloppée par les muscles de Jun sur le plongeoir soit lui aussi en liaison avec cette impulsion insolente que même les bébés connaissent ?

Je jetai un coup d'œil à la poterie de Bizen abandonnée en bordure du taillis voisin. Elle servait avant de décoration au bout d'un couloir de l'institut mais depuis que, tombée lors d'un tremblement de terre, elle s'était fendue, on l'avait oubliée là. C'était une grande jarre qui arrivait à la hauteur de la poitrine d'un adulte. Tout en frottant le dos de Rie dont la respiration était agitée, je me tenais devant la jarre. J'enlevai la planche de bois à moitié cassée qui lui servait de couvercle et laissai doucement glisser le corps de Rie à l'intérieur.

Je voulais entendre encore des sanglots de bébé. Je voulais goûter toutes sortes de pleurs.

Rie recroquevilla ses deux jambes comme si elle était prise de convulsions et s'accrocha désespérément à mon bras. Elle était terrorisée.

"Ne t'en fais pas. Tu n'as pas à avoir peur."

Je dégageai ses doigts menus de mon bras.

Il faisait sombre et froid à l'intérieur de la jarre. Rie se débattait violemment et criait à perdre haleine, mobilisant toute l'énergie dont son corps était capable. Après s'être répercutés sur la paroi intérieure de la poterie, ses hurlements n'en faisaient plus qu'un, qui s'écoulait avec souplesse à l'intérieur de moi comme du métal en fusion. Je maintenais fermement des deux mains la jarre au niveau de son orifice pour éviter qu'elle ne se renverse, tout en observant calmement les efforts inutiles qu'elle déployait pour essayer d'en sortir.

Depuis ma naissance à l'institut Hikari, je n'avais cessé d'entendre quotidiennement quelqu'un pleurer. Entre les plaisanteries, les disputes, les rires ou les cris de colère, on distinguait toujours des pleurs. J'essayais désespérément de les aimer. Car j'étais une orpheline que personne ne voulait adopter. Parce que j'étais la seule parmi les orphelins à ne pas pouvoir quitter l'institut.

Aujourd'hui, les pleurs affolés de Rie me mettaient particulièrement de bonne humeur. J'avais l'impression d'être caressée dans le bon sens par des mains expertes. Des mains spéciales, qui n'hésitaient pas. Des mains un peu froides, habiles à consoler.

Je n'entendais rien en dehors des cris de Rie. Elle tendait ses bras de toutes ses forces pour que je la prenne.

"Pleure encore un peu, tu veux ?"

Mon monologue se perdit à l'intérieur de la jarre. Le menton appuyé sur l'ouverture, je regardais les mains de Rie qui s'agitaient, tremblantes, en contenant le rire qui montait de ma gorge. Je restai ainsi longtemps à goûter ses larmes.

Cette nuit-là, après avoir plongé dans le sommeil, je me réveillai soudain brusquement, sans aucune raison apparente. Je n'avais ni trop chaud, ni fait un mauvais rêve. J'avais les idées claires comme si ce n'était pas vrai que j'avais dormi. Seuls mes sens semblaient lumineux dans la pénombre floue.

Tout était si calme que j'avais l'impression d'entendre la respiration régulière des enfants qui dormaient de l'autre côté de la porte. Reiko elle aussi semblait dormir profondément. Elle se retourna d'un seul coup et le lit se mit à trembler sur ses montants. Je rapprochai le réveil qui se trouvait à mon chevet : il était deux heures du matin.

J'avais dormi deux heures à peine, et pourtant je me sentais aussi fraîche que si j'avais pris un repos suffisant. Il me semblait que j'aurais pu résoudre n'importe quelle équation, aussi compliquée fût-elle, ou traduire n'importe quel texte anglais. Je n'arrivais pas à croire que les heures qui me séparaient du matin fussent aussi longues.

A cet instant, au milieu du calme qui se fondait dans l'obscurité, je perçus un imperceptible bruit d'eau. Un bruit clair de gouttes qui s'entrechoquent. Un bruit mesuré qui menaçait de disparaître si je n'y prêtais pas suffisamment attention. Alors que je tendais l'oreille en imaginant les gouttelettes d'eau pure, je me sentis dans une forme encore plus éblouissante.

Je sortis de mon lit pour aller jeter un coup d'œil à la fenêtre. Tout était immobile. Tout dormait : les ginkgos, le “précepte de la semaine”, la chaîne rouillée qui maintenait le portail ouvert. Seul le lointain bruit de l'eau vibrait au creux de mon oreille. Je sortis silencieusement de la chambre pour me laisser guider par lui.

Comme le palier n'était éclairé que par un seul tube fluorescent, le couloir était à peine plus lumineux que la chambre. Les portes des quatre chambres d'enfants étaient fermées, silencieuses. Les lames du parquet qui collaient à mes pieds nus étaient froides.

Le bruit d'eau se précisait au fur et à mesure que je descendais l'escalier. J'arrivai au bout du couloir le plus long de l'institut Hikari, celui qui conduisait à la salle à manger du sous-sol. Au milieu de la zone d'ombre qui se poursuivait vers le fond se découpait une portion vaguement plus lumineuse d'où provenait le bruit de l'eau. Je me rendis compte aussitôt que Jun se trouvait là.

Il lavait ses maillots de bain au lavabo à quatre robinets qui se trouvait en face des toilettes.

"Que fais-tu ici en pleine nuit ? lui demandai-je, les yeux fixés sur ses mains mouillées et savonneuses.

— Excuse-moi. Je t'ai réveillée ?"

Même là dans l'obscurité, en pleine nuit, sa voix était étonnamment fraîche, respirant la franchise. Il n'avait pas du tout l'air d'avoir sommeil.

"Quand je lave mes maillots en pleine nuit comme en ce moment, je me concentre tranquillement sur mes plongeons.

— Tes plongeons ?

— Oui. Je pense au rythme de la course d'élan sur le tremplin, au moment où je saute, ou encore à l'impact, des choses comme ça, quoi."

Pendant qu'il parlait, ses mains continuaient à s'activer.

"En s'entraînant à visualiser plusieurs fois le geste parfait, on arrive à plonger comme on l'a imaginé."

Il lavait soigneusement ses maillots, en les frottant sur les carreaux et en les retournant. Je chérissais ses doigts qui remuaient avec énergie. Quand j'étais avec lui, je me demandais sans arrêt pourquoi tant de pureté émanait de lui.

"Tu aimes plonger, n'est-ce pas ?"

C'était la seule chose qui m'était venue à l'esprit.

"Oui, j'aime."

Les mots qu'il venait de prononcer se répercutaient en moi où ils n'en finissaient pas de disparaître. Je me disais que s'ils m'avaient été uniquement destinés, ils m'auraient certainement apaisée.

"Parce qu'au moment où je plonge, j'oublie tout pendant quelques dixièmes de seconde."

Il est vrai que c'était entre l'instant où il quittait le plongeoir et celui où il arrivait au contact de l'eau que Jun était le plus beau. Tout, même ses paroles et ses gestes si doux, était entraîné dans sa chute, auréolé de ses muscles magnifiques. Un murmure au fond de moi disait que c'était pour cela que je le regardais toujours à la piscine.

Nos silhouettes en pyjama se reflétaient sur les quatre miroirs. Dans toute la maison, seul l'air qui nous entourait semblait vivant. De l'autre côté de la fenêtre comme au bout du couloir tout était noir et la lumière était concentrée ici. J'avais l'impression que nous étions tous les deux en train de vivre un moment privilégié.

Le devant du pyjama de Jun était humide des gouttelettes qui avaient giclé. Je pouvais facilement imaginer la ligne de ses muscles, même dissimulés par le pyjama flottant. J'étais comme une enfant effrayée désirant être secourue par ses muscles.

"Je vais t'aider."

J'avais parlé avec entrain pour changer d'humeur, car j'avais l'impression que si j'étais restée plus longtemps silencieuse, j'aurais été accablée par le désir que je sentais monter vers lui.

"Merci."

J'ouvris le robinet le plus proche pour rincer les maillots pleins de mousse. Comme ce moment particulier qui nous appartenait risquait d'être anéanti si nous faisions trop de bruit, je ne faisais couler que très peu d'eau. Il y avait en tout cinq maillots, et je me souvenais de chaque. Il y avait celui acheté lorsqu'il était entré au club, celui qui avait été fourni par ce même club lors des compétitions de l'année précédente et celui que les enfants lui avaient offert peu de temps auparavant pour son anniversaire. J'étais capable de les reconnaître tous.

Etre ainsi les mains dans l'eau si près de lui que je l'entendais respirer me plongea bientôt dans un état proche de la mélancolie. Mais peut-être étais-je tout simplement heureuse d'avoir entre les mains le maillot qui d'habitude serrait ses muscles. Je me souvenais de mon enfance, quand nous nous amusions avec innocence et que je n'accordais aucune signification particulière à son corps.

"Tu te souviens du jour où il y a eu de la neige dans le couloir ?"

Je lui avais posé la question les yeux fixés sur la mousse qui coulait sur les carreaux.

"De la neige ? Dans le couloir ?"

Jun s'était légèrement tourné vers moi pour me regarder, incrédule.

"Oui. Il y a environ dix ans. Ce jour-là, j'avais fait un rêve très amusant et je m'étais réveillée de très bonne heure. Je me suis aperçue, en jetant un coup d'œil par la fenêtre, qu'il avait beaucoup neigé. Tout était blanc, je n'avais jamais vu ça auparavant. Dans les chambres des enfants, personne n'était encore réveillé. J'ai sauté de mon lit en réprimant un cri de surprise et je me suis précipitée pour descendre l'escalier en courant. Ce couloir était tout blanc. D'un bout à l'autre. La neige s'était accumulée dessus.

— C'est vrai ? Je ne m'en souviens pas. Mais pourquoi est-ce qu'il y avait de la neige à l'intérieur ?

— Il y avait des fentes dans le toit. C'est par là que la neige s'était infiltrée comme si c'était de la pluie. Je me souviens aussi que quelqu'un est venu réparer le toit quand la neige a été fondue. Tu ne t'en souviens toujours pas ?"

Jun fit non de la tête avant d'ajouter :

"Il me semble pourtant que la mémoire ne va pas tarder à me revenir.

— Fais un effort. C'est trop dommage d'oublier une scène pareille. C'était un spectacle très étrange. Il y avait de la neige à l'intérieur de la maison, tu te rends compte ? Personne n'avait encore marché dessus, et la blancheur immaculée était éblouissante comme du cristal."

Après avoir essoré énergiquement le premier maillot que je venais de finir de rincer, je le déposai devant le miroir. Jun m'en mit un deuxième, plein de mousse, dans les mains.

"J'étais tellement surprise que je suis restée là, debout au bout du couloir, émerveillée à ne savoir que faire. Tout était calme. J'avais l'impression d'être la seule au monde à être éveillée. Mais ce n'était pas vrai. Quelqu'un d'autre regardait l'extraordinaire spectacle de ce couloir enneigé.

— Qui ?"

Je sentis sa voix et son regard buter contre mon épaule.

"Toi. Toi, Jun. Tu étais arrivé derrière moi et je ne m'en étais pas aperçue. Tu avais l'air d'être là depuis longtemps. Tu portais ton pyjama bleu imprimé d'abeilles et de petits ours."

Jun s'arrêta un instant, avant de lâcher :

"Tu avais un pyjama à pois ?

— Oui. Nous étions tous les deux debout, en pyjama. Comme aujourd'hui."

Je posai le deuxième maillot devant le miroir.

La douceur et la fraîcheur de la neige se transmettaient à mes plantes de pied. Cette fois-là aussi nous avions bénéficié d'un moment privilégié, seuls tous les deux. J'avais eu l'impression de rêver en un lieu fort éloigné de la réalité, mais avec la sensation très aiguë du contact avec la neige et de moi jouant avec Jun. J'étais heureuse d'être seule avec lui dans un endroit particulier. Peut-être l'étais-je d'autant plus que j'appartenais bien plus qu'aujourd'hui au monde de l'enfance. Je n'avais pas encore l'expérience du chagrin ni de l'angoisse.

"Au début, tu m'as proposé de plonger. Comme je reculais parce que j'avais peur, tu m'as dit qu'il n'y avait aucun danger et que c'était certainement très agréable avant de te laisser tomber de tout ton long. Alors la forme de ton corps s'est imprimée très nettement dans la neige. Nous avons ri tous les deux, tu te souviens ? A voix basse, pour que notre jeu secret ne soit surpris par personne. Et puis tu m'as poussée pour que je plonge moi aussi. Je ne me suis pas fait mal. Les flocons me remplissaient les yeux.

— Nous nous sommes bien amusés ce matin-là.

— Oui, vraiment."

Jun venait de parler comme si un tel jeu ne se reproduirait plus jamais. Il avait raison. Il était très difficile d'imaginer de quelle manière nos relations allaient évoluer dans l'avenir. Quand je pensais à ces choses-là, j'étais toujours envahie de tristesse.

Je ne croyais pas qu'il nous fût possible, dans dix ans, d'évoquer avec attendrissement cette nuit au cours de laquelle nous avions lavé les maillots de bain. Les enfants de l'institut Hikari s'en allaient tous les uns après les autres, me laissant seule. Postée derrière la fenêtre de ma chambre, j'en avais vu partir un nombre incroyable. Il n'était pas impensable que le prochain dos d'enfant vêtu de neuf qui tournerait au coin du "précepte de la semaine" sous le regard bienveillant de sa nouvelle famille fût celui de Jun. C'est pour cela que je voulais me réjouir maintenant de pouvoir ainsi me souvenir d'une scène qui nous appartenait à tous les deux.

Je lavais les maillots le plus soigneusement possible, comme si le fait même de m'y appliquer pouvait purifier le sentiment de cruauté que j'avais éprouvé dans l'après-midi en faisant pleurer Rie. Avec Jun, je me devais d'avoir l'air aussi pur que lorsque je m'étais trouvée à ses côtés, émue par la neige qui s'était accumulée dans le couloir. Parce que Jun ne plongeait sans doute que dans une eau très pure. Et parce que je voulais qu'il me traverse sans faire d'éclaboussures.

Quand nous eûmes terminé notre évocation du passé, nous ne trouvâmes plus rien à nous dire. Le bruit des heures qui dégringolaient entre nous s'était substitué au bruit de l'eau qui continua de s'écouler en un mince filet jusqu'à l'aube.

Le printemps disparut en un clin d'œil, et soudain il y eut la pluie tous les jours. Une pluie faible comme le bruit d'ailes d'un insecte, qui trempait la végétation du jardin de l'institut. Les jours languissaient au cœur de cette pluie mélancolique et intermittente qui n'en finissait pas. A l'école en général j'étais distraite, et je n'arrivais à sortir de ma torpeur que pour adresser un sourire à Jun quand je le rencontrais par hasard à la boutique de fournitures ou à la bibliothèque. Quand les cours étaient terminés, j'allais directement au stade où se trouvait la piscine. Ce n'était que lorsque je me retrouvais assise dans les tribunes que je sentais mes sens se réveiller enfin.

La vie à l'institut était elle aussi d'une monotonie écœurante. Il y avait toujours l'agitation débordante des enfants, les dîners avec ma mère excitée et bavarde, et la grosse Reiko sur la couchette du haut de notre lit.

Depuis le commencement des pluies, toutes sortes de moisissures envahissaient le réfectoire au sous-sol de l'institut. Le petit pain du goûter que quelqu'un avait laissé se retrouva le lendemain parsemé de bleu, tandis que la tarte aux pommes faite par la cuisinière fut couverte de blanc au bout de trois jours. Ces nourritures d'aspect grotesque jetées dans les poubelles en plastique réveillèrent ma tendance à la cruauté. Si j'enfermais Rie dans la poubelle, hurlerait-elle encore de frayeur comme la dernière fois ? Allait-elle pleurer et pleurer encore jusqu'à être trempée de larmes, de transpiration et de morve et qu'au bout d'un moment ses cuisses veloutées se couvrent de moisi comme un duvet teint avec une poudre colorée ? Chaque fois que j'apercevais la poubelle au sous-sol, j'imaginais des moisissures se développant sur ses cuisses.

Un dimanche après-midi, je me trouvais dans la salle de jeux. Trois enfants qui n'avaient pas encore l'âge d'aller à la maternelle étaient en train de s'amuser au milieu des jouets. Rie était au milieu d'eux.

Un typhon qui n'était pas de saison venait de traverser la mer du Japon, et il ne pleuvait pas mais le vent était violent. J'écoutais le bruit de la tempête, assise sur une chaise près de la fenêtre.

Une dispute se produisit au sujet d'un jouet, et Rie se mit à pleurer. Je m'éloignai de la fenêtre pour la prendre dans mes bras. Tout en hoquetant, elle glissa ses doigts dans une fente de mon corsage entre deux boutons. Quand elle voulait faire un câlin, elle avait souvent le réflexe de partir ainsi à la recherche d'une poitrine accueillante de ses doigts malhabiles.

"N'allez pas jouer dehors aujourd'hui. Le vent vous emporterait", dis-je aux deux autres enfants avant d'emmener Rie dans ma chambre.

Reiko était partie rendre visite à ses parents à l'hôpital psychiatrique, à trois heures de train. Rie qui avait tout de suite retrouvé sa bonne humeur cherchait à prendre, parmi toutes les choses empilées sous le bureau de Reiko, des cassettes d'anglais, des trophées rapportés de voyages de classe, ou encore une lampe de poche dont les piles étaient usées. Avait-elle oublié à quel point je l'avais fait pleurer en l'enfermant dans la poterie du jardin ? Je me posais la question en regardant son dos.

La végétation qui cernait l'institut, violemment secouée, faisait un bruit épouvantable. Le vent qui s'abattait sur nous me semblait d'autant plus violent. Il nous recouvrait entièrement.

A moitié dissimulée sous le bureau, Rie prenait tout ce qui lui tombait sous la main pour le porter à sa bouche. Ses cuisses qui me faisaient penser à du beurre étaient collées au sol. Je regardais toujours les enfants de cet âge comme s'ils étaient des êtres à part. Mon regard ressemblait alors à celui que je posais sur les animaux étranges du parc zoologique. J'avais envie de les caresser, de leur donner de la tendresse, mais je ne savais pas comment m'y prendre. Contrairement au corps de Jun sur son plongeoir qui me mettait instinctivement à l'aise, les enfants en bas âge et les animaux exotiques me glaçaient.

J'aperçus une petite boîte en carton blanche qui dépassait du tiroir entrouvert de mon bureau. C'était un reste de choux à la crème que j'avais mangés trois ou quatre jours plus tôt.

Ce jour-là aussi une pluie fine tombait depuis le matin. Le stade, entouré d'une allée plantée de peupliers, était obscurci par le rideau de pluie. J'avais marché tout en réfléchissant au degré de difficulté et à la forme du plongeon que Jun avait travaillé ce jour-là. Il n'y avait personne ni sur le terrain de football, ni sur celui de base-ball et seul me parvenait le bruit des voitures qui roulaient au-delà des peupliers.

Une nouvelle pâtisserie venait d'ouvrir à la sortie du stade, de l'autre côté du passage clouté. On aurait dit une serre, avec ses murs et son plafond de verre. Les vitres étaient si transparentes qu'on distinguait très nettement les spatules pour la décoration des gâteaux, les poches à chantilly et les maniques qui se trouvaient dans la cuisine derrière la vitrine réfrigérée. Des couronnes de fleurs avaient été dressées de part et d'autre de l'entrée pour l'inauguration.

Je ne savais pas trop pourquoi j'avais décidé d'y entrer. Je n'avais pas vraiment faim. Simplement, mon regard avait été irrésistiblement attiré par tout ce clinquant, au milieu de la pluie grise comme un rideau de suie. Peut-être cette vitrine avait-elle évoqué en moi l'éclat de la surface de l'eau de la piscine.

L'intérieur de la boutique était presque trop lumineux. Il n'y avait personne à part moi. L'heure de la fermeture était proche, et il ne restait plus beaucoup de gâteaux dans la vitrine réfrigérée. La paroi de verre en était étincelante.

Tous les gâteaux sans exception étaient comme de fines réalisations en papier. Je me penchai pour les regarder un à un. Une jeune vendeuse, avec son tablier plein de dentelles, attendait ma commande en souriant. Pointant le doigt sur trois choux à la crème qui semblaient abandonnés dans le coin gauche de la vitrine, je lui dis :

"Donnez-moi les trois, s'il vous plaît."

La jeune fille aux dentelles prit les trois malheureux choux pour les disposer avec des précautions exagérées dans une boîte qu'elle enveloppa, avant d'y coller une étiquette et d'y nouer un ruban.

Ce ne fut pas très facile pour moi de les porter en plus de mon parapluie et de mon cartable. Je fus obsédée par cette petite boîte pendant tout le trajet de retour à l'institut.

Nous en avions mangé chacun un, Reiko et moi. Après m'avoir remerciée d'une manière exagérément polie comme à son habitude, Reiko l'avait avalé avec fébrilité, perchée sur sa couchette. J'avais laissé le troisième dans sa boîte, que j'avais rangée dans le tiroir du bas de mon bureau.

A chaque fois que j'ouvrais ce tiroir, j'apercevais cette boîte qui n'était pas à sa place parmi les équerres, les agrafeuses ou les liasses de photocopies, mais j'avais complètement oublié le chou à la crème.

Je pris la boîte avec précaution, comme si je manipulais un objet fragile. Je m'attendais à quelque chose de plus lourd, et elle me surprit par sa légèreté. Je l'ouvris, pensant trouver une prolifération de moisissures peu engageantes mais le chou à la crème avait gardé le même aspect. La croûte était toujours aussi rebondie et d'une belle couleur dorée.

"Rie, viens ici. J'ai quelque chose pour toi."

Elle se retourna, et lorsqu'elle se rendit compte de ce qu'il y avait à l'intérieur de la boîte, se précipita sur mes genoux avec toute l'ardeur de son innocence.

C'est en le coupant en deux que je compris enfin ce qu'il avait de particulier. Le parfum de l'œuf, du sucre et du lait avait été remplacé par celui, un peu aigrelet, du pamplemousse encore vert. Quand Rie plongea ses lèvres dans la crème, une odeur acide se répandit autour de nous. Alors que cela suffisait à me lever le cœur, les lèvres, la langue et la gorge de la candide Rie s'empressaient d'avaler le chou. La ferveur qu'elle déployait me fut insupportablement délicieuse.

"C'est bon ?"

Ma voix se perdit dans le bruit du vent.

J'écrasai la moitié du chou à la crème que Rie avait laissée en même temps que la boîte en carton et jetai le tout dans la poubelle en plastique au sous-sol.

Le vent souffla de plus belle pendant la nuit. Il faisait lourd et je n'arrivais pas à dormir. Dès que je m'assoupissais, la chaleur étouffante me tirait de mes rêves. Si j'ouvrais la fenêtre, le vent chargé d'humidité me faisait transpirer davantage. A son retour de l'hôpital psychiatrique, Reiko avait grignoté trois ou quatre chocolats de fabrication étrangère que ses parents avaient dû lui offrir, avant de s'endormir aussitôt sans même se laver les dents. Sa respiration apathique m'éloignait encore plus du sommeil.

Au moment où je m'apprêtais à regarder mon réveil pour voir combien de temps s'était écoulé, je perçus le bruit de pas d'un adulte dans le couloir. Une porte s'ouvrit quelque part puis se referma, et j'entendis des murmures inquiets. Je repoussai d'un coup de pied ma couverture moite et je défis un bouton supplémentaire du devant de mon pyjama. Les yeux fixés sur les lattes de la couchette du haut, j'essayais de saisir le sens de ces chuchotements. Je n'avais plus du tout sommeil, et mes nerfs étaient à vif.

Un peu plus tard, je distinguai la voix de ma mère au milieu du brouhaha. Comme d'habitude elle détonnait dans la gravité ambiante, aiguë, pleine d'excitation et de suffisance. Grâce à cette voix dont j'étais si souvent lasse, je compris tout.

Je me souvenais comme d'un rêve fait autrefois de la mollesse du chou à la crème quand je l'avais écrasé dans son carton et de la manière dont il s'était mêlé aux restes de nourriture grotesques contenus dans la poubelle. C'était un souvenir lointain et vague, et il ne serait pas étonnant que je l'oublie un jour ou l'autre.

Mais la rumeur extérieure s'était peu à peu amplifiée, au point qu'il n'était plus possible de l'ignorer. Reiko qui avait pourtant le sommeil profond se réveilla et se pencha par-dessus sa couchette.

“Que se passe-t-il ?”

Ignorant sa question, je me levai. Je sentais mon corps se durcir bizarrement ici ou là. Je devais être assez fatiguée par toutes ces heures durant lesquelles je n'avais pas réussi à dormir, alors que j'aurais dû.

J'ouvris la porte et me retrouvai dans le couloir inondé de lumière, car toutes les lampes étaient allumées. Je fus incapable d'ouvrir aussitôt les yeux, tellement ils me faisaient mal.

"Aya-chan, Aya-chan, c'est épouvantable ! Riechan a eu une violente diarrhée accompagnée de vomissements, et elle est complètement épuisée. Elle a beaucoup de fièvre, ses lèvres sont toutes sèches, et en plus elle a une drôle d'éruption sur la peau. Je me demande ce qui s'est passé, vraiment. Je voulais appeler une ambulance, mais ton père a dit qu'il valait mieux prévenir le professeur Nishizaki, tu sais, celui dont la clinique est près de la gare et qui est un de nos fidèles. Il trouve qu'ainsi on aura plus de chances d'obtenir la protection divine. Alors on est en train de téléphoner. Et il fallait que ça arrive en pleine nuit, quelle histoire ! Il ne reste plus qu'à s'en remettre à Dieu, Aya-chan."

Elle avait parlé d'une seule traite, en retenant les pans de sa vieille chemise de nuit sur sa poitrine. La puéricultrice de garde et les autres employés qui vivaient à l'institut étaient debout autour d'elle, l'air ensommeillé et hagard, auquel se mêlait une pointe d'angoisse. Sa voix et sa respiration pleines d'excitation avaient dépassé les limites et on aurait dit qu'elle s'amusait. – Pourquoi continuer à jacasser alors que je ne t'écoute pas ? Tu n'as pas besoin de te lancer dans de grandes explications, je sais ce qui se passe – pensai-je en portant ma main à mes yeux douloureux.

A ce moment-là, Jun arriva en haut des escaliers.

“On a réussi à joindre le professeur Nishizaki. Il a demandé qu'on la lui amène tout de suite”, dit-il en entrant dans la chambre des enfants, et il en ressortit presque aussitôt avec Rie dans les bras. Elle était comme un paquet de chiffons mouillés. Des petites taches roses parsemaient ses joues, ses mains et ses cuisses. C'était comme si le chou à la crème pourri avait corrompu ses viscères, donnant ainsi naissance à des moisissures roses.

Jun descendit l'escalier en courant avec Rie dans les bras. Tout le monde le suivit. Mon père attendait devant l'entrée, au volant de sa voiture dont le moteur était sous pression. Jun s'engouffra à l'intérieur, sans lâcher Rie.

Je me faisais dix fois plus de souci pour Jun que pour Rie. Je n'arrivais pas à détacher les yeux de ses gestes vifs et décidés, empreints de franchise. Je me contentais de regarder la scène distraitement alors que j'étais la cause des malheurs de Rie, tandis que lui l'entourait tendrement dans ses bras robustes. Cela m'était insupportable. Sa pureté m'était incroyablement précieuse.

S'il arrivait quelque chose d'imprévu, par exemple lorsque j'étais tombée dans la rivière, quand il y avait eu un incident à la cuisine, ou que les étagères à vaisselle s'étaient renversées au cours d'un tremblement de terre, Jun trouvait toujours la meilleure solution pour rassurer tout le monde. Je me demandais pourquoi il pouvait être si gentil, et cela me rendait mélancolique.

Le bruit du moteur couvrit celui du vent dans la nuit.

La voiture avançait déjà, et ma mère criait toujours, tandis que les autres retournaient dans leur chambre en silence :

“Faites-moi savoir tout de suite ce qu’il en est. J’attendrai à côté du téléphone. Si jamais on devait l’hospitaliser, il faut que je prépare ses affaires. Alors n’oubliez pas, toi ou Jun, de téléphoner.

— J’espère que ce n’est pas grave”, ajouta-t-elle en se tournant vers moi, mais je me contentai de lui répondre d’un vague hochement de tête, car je voulais penser tranquillement à Jun dans le vent de la nuit.

Evidemment, j’étais encore venue à la piscine. Elle m’attirait encore plus quand j’avais auparavant goûté la cruauté jusqu’à satiété. Il me semblait que la réverbération des vaguelettes sur le plafond vitré, l’odeur d’eau propre, et plus encore le corps mouillé de Jun me purifiaient de toute méchanceté. Je voulais être aussi pure que lui, même si cela ne devait pas durer.

Finalement, Rie avait été hospitalisée sur-le-champ. Après avoir tout vomi, elle avait paraît-il dormi, aussi raide qu’une momie, pendant deux jours d'affilée. En écoutant les explications détaillées de ma mère qui se rendait quotidiennement à l'hôpital pour s'occuper d'elle, je me disais que toute trace du chou à la crème avarié avait maintenant disparu.

Qu'aurais-je décidé de faire si elle mourait ? Comment me serais-je arrangée pour trouver une cohérence à mon acte ? Je ne savais pas très bien. Je ne comprenais pas d'où venait ce besoin de faire du mal. C'est pour cela que je regardais les bras, la poitrine et le dos de Jun, sans aucun regret alors que Rie était vaincue, terrassée par la douleur.

Il faisait toujours aussi chaud à l'intérieur de la piscine. Le clapotis de l'eau mêlé aux voix des gens montait comme de la brume. Il n'y avait personne d'autre dans les tribunes. A côté, la piscine pour les compétitions et plus loin celle des enfants étaient beaucoup plus bruyantes que celle-ci. Le bassin réservé au plongeon résonnait uniquement de la répétition du choc bref qui trouait la surface de l'eau à intervalles réguliers.

Le maillot de Jun était bleu marine, avec l'écusson de son école brodé à la ceinture. C'était l'un de ceux que nous avions lavés ensemble tout en évoquant le jour où la neige avait recouvert le couloir. Il était suffisamment imbibé d'eau pour être bien ajusté à sa taille. Pendant qu'il marchait vers l'extrémité du plongeoir, Jun avait l'habitude de tirer sur la bande enroulée autour de ses poignets. Puis il prenait tout son temps pour déterminer la position de ses pieds.

“Double saut périlleux et demi arrière carpé.”

C’était un beau plongeon. Son corps avait transpercé l’eau à angle droit et n’avait pratiquement provoqué aucune éclaboussure. Après un léger bouillonnement, la surface retrouva aussitôt son calme.

Je préférais les plongeons carpés aux vrilles ou aux groupés. Cette position où le corps était plié en deux à partir du bassin et où les jambes étaient droites jusqu’au bout des orteils était superbe, car tous ses muscles étaient tendus à l’extrême. Son front effleurait légèrement ses tibias, ses mains étaient posées sur l’arrière de ses genoux, et j’aimais l’élégance qui en résultait.

Quand les jambes de Jun tombaient en dessinant un cercle parfait comme celui d’un compas, je pouvais sentir son corps à l’intérieur du mien. Il glissait en une longue caresse intérieure. C’était beaucoup plus intime, chaud et rassurant qu’une étreinte. Je le savais, et pourtant il ne m’avait jamais prise dans ses bras.

Je soufflai un grand coup et recroisai les jambes. Les autres membres du club plongeaient l’un après l’autre et, dans l’intervalle, on entendait les remarques de l’entraîneur à travers son porte-voix. Dans le bassin d’à côté, l’autre équipe se consacrait exclusivement à la natation. Une jeune lycéenne qui jouait le rôle d’instructeur était en train de mesurer les temps intermédiaires avec un chronomètre, la moitié du corps dépassant sous les bornes de départ. Tout le monde travaillait sans relâche. J’étais la seule à ne rien faire.

J'étais simplement en train de me remettre de mes émotions.

Ce ne fut que lorsque j'arrivai dans le hall d'entrée où se trouvaient les distributeurs automatiques, après avoir suivi le couloir qui en sortant du bassin de plongeon passe devant les vestiaires, que je me rendis compte qu'il pleuvait. Quand j'étais à la tribune, les remous de l'eau dans les bassins m'avaient empêchée d'entendre la pluie tomber dehors. Comme un mince soleil avait brillé toute la journée, je restai hébétée devant un changement de temps aussi brutal. De plus il s'agissait d'une précipitation peu ordinaire. Le rideau de pluie recouvrait entièrement le stade. L'allée de peupliers, le tableau d'affichage du terrain de base-ball et la pelouse de celui de football disparaissaient, noyés dans la grisaille. Sur le sol, les éclaboussures provoquées par les gouttes rejaillissaient comme des jets d'eau.

J'étais debout devant la porte automatique sans savoir quoi faire. Courir jusqu'à la gare me prendrait bien au moins cinq minutes et, avec cette pluie, il ne me faudrait pas plus de cinq secondes pour être complètement trempée. Imaginer que je puisse prendre le train à l'heure de pointe dans mon uniforme mouillé me donnait le cafard.

Le canapé du hall était encombré de gens qui eux aussi regardaient la pluie d'un air absent. Certains groupes partaient après avoir appelé un taxi à partir de la cabine téléphonique.

Finalement, je franchis la porte automatique et me retrouvai dehors. L'odeur de la pluie me frappa. Elle était chargée de terre mouillée. Je m'assis sur la marche abritée sous l'auvent. Des gouttes d'eau qui rebondissaient sur le sol éclaboussaient parfois mes chaussettes.

Jun devait être en réunion au bord de la piscine, à moins qu'il ne fût en train de prendre sa douche. Je me demandais si la pluie aurait cessé quand il sortirait. Avec quel visage devrais-je lui faire face s'il me trouvait là, abandonnée ? Il arriverait sans doute avec la fraîcheur qui lui était habituelle après s'être adonné tout entier à son exercice au plongeoir qu'il aimait tant. Tandis que moi, j'abritais encore des lambeaux de l'éruption rose et des pleurs de Rie qui n'avaient pas réussi à être balayés par l'eau de la piscine.

Je me décidai enfin à m'élancer sous la pluie. A ce moment précis, la voix de Jun m'arrêta :

"Aya-chan !"

Je me retournai et le vis qui me regardait, debout sur la première marche. Son expression était tellement semblable à la fraîcheur que j'avais imaginée qu'il me fallut un certain temps pour trouver mes mots, sous son regard oblique.

"Quelle pluie ! dit-il en regardant au loin.

— Oui."

Nous regardions pensivement le spectacle de la pluie, debout sur la marche. Comme elle était assez étroite, nous étions obligés de nous serrer l'un contre l'autre pour éviter de nous mouiller. Le sac de sport en plastique qu'il avait à la main frôlait ma jambe à travers ma jupe.

J'étais soulagée, comme si je venais d'obtenir son consentement, car il ne m'avait pas demandé pourquoi je me trouvais là. Il pleuvait encore plus fort que tout à l'heure, et on ne voyait plus que la pluie.

"Et les autres membres de ton club ? lui demandai-je en regardant droit devant moi, car nous étions trop proches pour que je puisse me tourner vers lui.

— Ils sont montés dans la voiture de l'entraîneur, me répondit-il, les yeux toujours tournés vers la pluie.

— Pourquoi n'es-tu pas rentré avec eux ?

— Parce que je t'ai vue.

— Ah bon…"

En fait, j'aurais voulu ajouter des remerciements ou des excuses. Mais je ne sais pourquoi, les mots que je lâchai alors furent d'une banalité et d'une réalité déconcertantes.

"Tu as un parapluie ?"

Jun secoua la tête.

"Il pleut tellement fort qu'un parapluie ne nous serait d'aucune utilité. Une pluie aussi violente est si exceptionnelle que nous pouvons rester là encore un peu."

Nous pouvons rester là encore un peu : ses paroles vinrent s'incruster en moi. Je les goûtai lentement. J'avais l'impression qu'elles prenaient des accents qui signifiaient qu'il voulait être là, près de moi.

Un taxi s'arrêta, dont les essuie-glaces faisaient un bruit déchirant. Quelques écoliers qui venaient de terminer leur cours de natation, accompagnés de leur mère, franchirent la porte automatique en sautillant pour s'engouffrer à l'intérieur. Leurs pas précipités, comme le bruit du moteur, furent effacés par la pluie. Seuls le souffle de Jun et le bruit du tonnerre qui grondait dans le lointain parvenaient jusqu'à moi à travers la pluie.

Un éclair fulgurant courait parfois à la limite du ciel et de l'allée de peupliers. Nous le regardions à chaque fois en étouffant un cri. La lumière était belle et fugitive, sans aucune violence. Nous attendions avec impatience comme si nous assistions à un feu d'artifice, les yeux tournés vers les peupliers qu'on devinait à peine, pour savoir où éclaterait le prochain.

L'épaule droite de Jun était trempée par la pluie. Sa chemise blanche d'uniforme collait à sa peau. Mais il ne s'en souciait pas et attendait l'éclair suivant avec l'enthousiasme d'un gamin.

Quand j'étais avec lui, je me souvenais de mon enfance. Des scènes où nous étions seuls tous les deux à l'institut se bousculaient dans ma mémoire. J'étais la seule à connaître celui à qui j'avais fait téter du lait de figuier, celui qui était à mes côtés le jour où nous avions joué dans le couloir recouvert de neige. J'avais gardé comme de précieuses lettres l'expression qu'il avait alors, et que ni ses amis de l'école, ni les membres de son équipe de plongeurs, ni les enfants de l'institut Hikari ne connaissaient. Et de temps en temps, je sortais ces lettres de leur enveloppe pour les regarder après les avoir dépliées avec soin pour ne pas les abîmer.

Mais je ne m'étais pas aperçue que les lettres qui étaient en ma possession se voilaient peu à peu. Depuis quand de nouvelles enveloppes ne venaient-elles plus s'ajouter aux autres ? Depuis que Jun et moi avions cessé d'être des enfants ? Il me semblait que c'était à partir du moment où j'avais commencé à penser à lui avec angoisse comme maintenant.

Au fur et à mesure que l'orage s'éloignait, les éclairs se faisaient plus discrets. Mais la pluie ne faiblissait pas pour autant. C'était maintenant toute la manche de la chemise de Jun qui était trempée. Je m'inquiétais pour son bras droit qui était peut-être déjà engourdi par le froid.

"Rentrons à l'intérieur", lui proposai-je en le prenant par le coude. Il acquiesça après avoir regardé un dernier éclair.

Nous traversâmes le hall pour retourner près du bassin. Plus personne ne plongeait. Plusieurs employés en maillot de bain et T-shirt nettoyaient en passant le balai à franges sur le plongeoir, le tremplin et le bord du bassin. L'éclairage avait été réduit de moitié, et cela donnait un tout autre aspect à l'ensemble. On avait l'impression que la soirée était beaucoup plus avancée ici que dehors où il pleuvait toujours. Nous étions nonchalamment accoudés à la rampe tout en haut des gradins, et au bout de notre regard tremblotait la surface sombre de l'eau.

“Cela me fait une drôle d’impression, dis-je, les yeux fixés sur son profil.

— Pourquoi ?”

Il avait tourné son visage vers moi.

“Quand je suis là, c’est toujours toute seule. Je suis assise sur les gradins, tu es sur le plongeoir, et je ne connais personne d’autre. Et voilà que ce soir, tu es à côté de moi.

— Tu étais toujours présente à l’entraînement, n’est-ce pas ?”

Grâce à sa manière de s’exprimer, amicale et reconnaissante, je fus capable d’acquiescer avec sincérité.

Je prononçai en mon for intérieur, car j’aurais été incapable de le lui dire en face :

— C’est vrai, je me suis laissé caresser intérieurement par tes muscles quand tu plongeais.

“Après les cours, je viens directement ici et je regarde. Rien d’autre à faire ne me vient à l’esprit. Je n’entreprends rien, je ne me dépense pas, je ne me fatigue pas non plus. Je te fais sans doute l’effet d’être une vieille complètement gâteuse.

— Je crois qu’il ne faut pas te persécuter de cette façon. Tu es en train de chercher ce que tu veux faire. Tu es indécise, c’est tout.

— A ton avis, c’est ça ?

— Oui, je crois.”

Il hocha la tête.

Je ne savais pas du tout si j’étais ou non dans l’incertitude. Et pourtant, le fait que Jun ait été aussi clair dans son affirmation m’avait évité le trouble. Toujours aussi calme, j'essayai de réfléchir à ce que j'avais envie de faire. Cela me semblait à la fois très simple et très compliqué.

Faire pleurer Rie, et regarder les muscles mouillés de Jun.

Uniquement cela. Seules ces deux choses pouvaient me consoler. C'était clair, et pourtant je ne pouvais l'expliquer à personne, surtout pas à lui.

On entendait le frottement des balais à franges. On avait dû actionner le système d'ouverture de la bonde, car le niveau avait sensiblement baissé. On commençait à voir les motifs des parois qui disparaissaient habituellement sous l'eau.

"Toi tu ne donnes pas l'impression d'avoir des incertitudes, lui dis-je en donnant un léger coup du bout de ma chaussure dans mon cartable posé à mes pieds.

— Quand on plonge, on n'a pas le temps de se poser des questions, tu sais."

Il tenait la rampe à deux mains, se balançant comme s'il faisait des tractions.

"Les circonstances de ma naissance sont suffisamment tordues pour que, quand je me retrouve sur le plongeoir, j'aie envie de sauter droit sans hésiter."

Je regardais ses doigts solides qui agrippaient la rampe.

"Tu en veux à tes vrais parents ?

— Non. Comment pourrais-je en vouloir à des gens dont je ne me souviens même plus ?" me répondit-il après un temps mort. J'eus un pincement au cœur, comme si je venais seulement d'apprendre qu'il était orphelin. J'étais triste à l'idée qu'il pourrait manifester toute sa gentillesse ou plonger avec une technique parfaite, cela ne changerait rien au fait qu'il était orphelin. J'aurais voulu réchauffer de mon souffle son épaule trempée.

Au-dessus de nous, la pluie frappait la verrière. Les employés étaient descendus dans le bassin complètement vide à présent, dont ils frottaient le fond. Il était beaucoup plus grand et profond que je l'avais imaginé. On avait éteint les lampes au-dessus des tribunes, et seule la lumière provenant de la piscine nous baignait faiblement. C'était comme si nous nous enfoncions progressivement dans la nuit.

Nous eûmes une conversation décousue au sujet des révisions de mathématiques, de la préparation du voyage de fin d'année ou de l'assemblée générale des élèves. Et de temps en temps, nous levions la tête vers la verrière pour voir où en était la pluie. Elle semblait diminuer peu à peu.

"Je me demande quand Rie va pouvoir sortir de l'hôpital."

Les mots qui étaient sortis de sa bouche tout naturellement au détour de la conversation m'atteignirent comme une épine en plein cœur.

"Moi aussi."

J'eus alors devant les yeux la silhouette de Rie allongée sous les draps froissés, avec sa peluche de Mickey sur son oreiller, telle que je l'avais vue quand j'étais allée lui rendre visite dans sa chambre du service de pédiatrie aux murs décorés de dessins d'enfants.

"C'est toi, n'est-ce pas ?"

Jun avait continué si naturellement que je n'avais pas compris et que je le regardai d'un air interrogateur.

"C'est bien toi qui as rendu Rie malade ?" répéta-t-il sur le même ton. Ce qu'il voulait dire me pénétra comme une scène au ralenti. Son expression comme ses gestes ne me reprochaient rien. Et pourtant, je sentais mes sentiments se glacer à vue d'œil.

"Tu le savais ?"

Ma voix était devenue blanche.

"Oui.

— Pourquoi ?

— Je ne te quittais pas des yeux."

Cela pouvait être à la fois l'expression d'un amour époustouflant et d'une rupture définitive.

"Je m'en étais déjà aperçu. De ce que tu faisais."

Jun regardait toujours le fond de la piscine, sans lever les yeux.

"Rie est une pauvre petite à qui sa mère, complètement arriérée, a donné naissance dans les W.-C., tu sais."

Sa voix basse me faisait frissonner.

S'il m'avait fait de vrais reproches, j'aurais peut-être pu me justifier. Au lieu de quoi, il dénonçait mon secret comme s'il me faisait une déclaration. Alors j'écoutais les battements de mon cœur se précipiter dans ma poitrine, incapable de réagir.

Maintenant, je ne voulais plus qu'il parle. Cela n'aurait fait qu'augmenter ma tristesse. Les pleurs de Rie avaient mis en pièces les muscles de Jun luisant de gouttes d'eau. Tout se mit à tanguer autour de moi, je me vis tomber dans le bassin vide, et ma vue se troubla.

Un silence s'établit entre nous. La rampe des tribunes sur laquelle nous nous étions appuyés était devenue tiède.

"Nous n'allons pas tarder à fermer", nous cria du fond de la piscine un des employés qui faisait le ménage, au moment où le paysage autour de moi se stabilisait enfin.

"Oui !" répondit Jun d'une voix forte.

"J'espère qu'il ne pleut plus", ajouta-t-il en levant les yeux vers la verrière. Tout en suivant son profil du regard, je pris conscience du fait que je ne pourrais plus rien lui demander. Ni caresses, ni protection, ni chaleur. Il ne plongerait sans doute plus jamais dans ma propre piscine troublée par des pleurs d'enfants orphelins. Des vagues de regrets arrivaient sur moi, doucement mais sans relâche.

"On y va ?"

La main de Jun effleurait mon épaule.

"Où ça ?"

Mon épaule me brûlait.

"A l'institut, bien sûr."

Sa voix parvenait jusqu'à moi à travers mon épaule. J'acquiesçai, tout en réalisant que c'était un châtiment bien cruel de devoir rentrer tous les deux au même endroit.

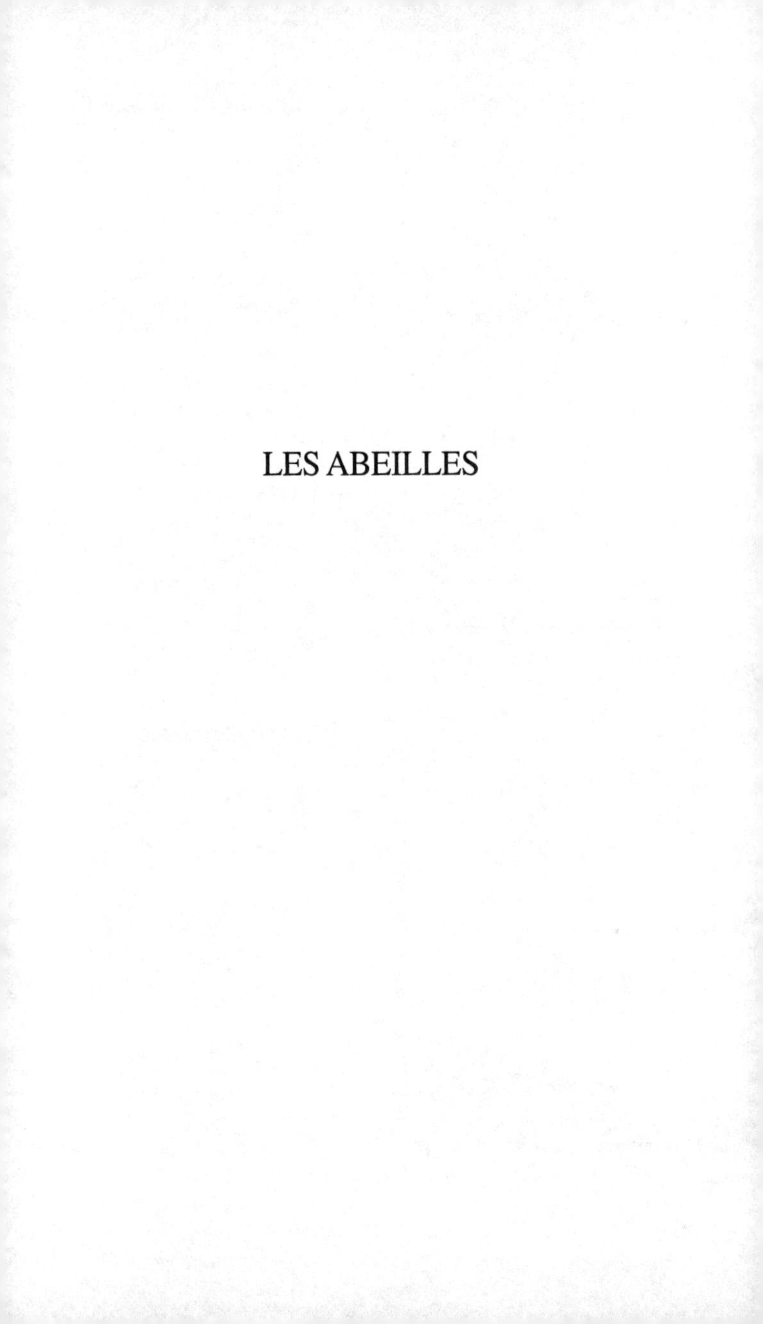

LES ABEILLES

Il n'y a pas si longtemps que je me suis aperçue de l'existence de ce bruit. Pour autant je ne puis dire avec certitude que cela s'est produit récemment. Je n'en connais pas la cause, mais je le sens là, immobile sur la bande de perception du son qui me relie directement au passé. Un jour, j'ai brusquement réalisé que je le percevais. Je ne sais ni d'où il vient, ni depuis quand il est là. Il est arrivé un beau matin sans crier gare, comme les taches qui se développent soudain en délicats motifs à la surface des boîtes transparentes de cultures microbiennes dans les laboratoires.

Je ne peux l'entendre qu'à certains moments bien précis. Il ne suffit pas que j'en aie envie pour que ça marche. Il m'est arrivé de l'entendre alors que je regardais les lumières de la ville dans le dernier autobus, ou à l'entrée d'un vieux musée, au moment où une jeune femme mélancolique me donnait un ticket en baissant la tête. Son apparition est soudaine et capricieuse.

Le seul point commun est qu'à l'instant où j'entends ce bruit, mon cœur est habituellement tourné vers un endroit particulier du passé. Et il provoque un léger grincement dans ma poitrine. C'est là que se trouve la vieille résidence universitaire. Elle n'est pas vraiment grande, avec ses deux étages en béton armé et la sobriété de son architecture. On voit qu'elle est vieille à ses vitres ternes, à ses rideaux jaunis et aux lézardes sur les murs. Bien que ce soit une résidence universitaire, on ne remarque rien, ni bicyclettes, ni raquettes de tennis, ni chaussures de sport, qui puisse évoquer la présence d'étudiants. Seuls les contours du bâtiment existent avec netteté.

Mais ce ne sont pas des ruines. Car je peux véritablement saisir qu'un souffle humain est contenu dans ce béton à moitié délabré. Son rythme et sa chaleur pénètrent tranquillement au travers de ma peau.

Cela fait plus de six ans que j'ai quitté cette résidence universitaire, et pourtant, si je peux l'évoquer avec une telle acuité, c'est sans doute à cause de ce bruit qui me rend visite inopinément.

Je le perçois un court instant, pendant que mon esprit remonte vers cette résidence. L'intérieur de ma tête devient tout blanc comme une vaste plaine enneigée et quelque chose résonne faiblement dans le ciel, tout là-haut au-dessus de moi. En réalité, je ne sais pas si je peux affirmer que c'est un son. Peut-être que des mots comme secousse, écoulement ou élancement seraient plus appropriés. J'ai beau tendre mes nerfs au maximum, je n'arrive pas à en saisir la véritable nature.

En tout cas, en ce qui concerne ce bruit, puisque tout, sa source, son timbre et sa propagation, est ambigu, je n'ai plus de mots. Et pourtant, de temps en temps, c'est tellement vague que cela me rend triste et que j'essaie de lui trouver des comparaisons. Le murmure d'une fontaine en hiver quand une pièce de monnaie tombe au fond, en provoquant des éclaboussures ; le tremblement de la lymphe dans le limaçon tout au fond de l'oreille interne, au moment où l'on descend de manège ; le bruit de la nuit qui s'écoule à l'intérieur de la paume de la main qui a tenu le récepteur, après le coup de téléphone de l'amant… Mais je me demande combien de personnes vont pouvoir comprendre la nature de ce bruit avec ce genre d'exemples.

Le coup de téléphone de mon cousin arriva un après-midi au début du printemps, alors que soufflait un vent froid.

"Excuse-moi de te téléphoner si soudainement."

Je ne le reconnaissais pas.

"Je ne t'ai pas donné de nouvelles depuis longtemps. Tu m'as peut-être oublié, on ne s'est pas vus depuis quinze ans, mais en tout cas, tu étais très gentille avec moi quand j'étais petit."

Il semblait se demander avec hésitation comment se présenter à moi.

"Au Nouvel An et pendant les grandes vacances, quand nous étions chez grand-mère, tu jouais avec moi…"

C'est alors que je me rappelai enfin.

"Il y a si longtemps !" lui dis-je, surprise par ce coup de téléphone imprévu.

"Eh oui."

Soulagé, il respira un grand coup. Puis, d'un ton plus ferme, il se lança :

"Si je te téléphone aujourd'hui, c'est pour te demander quelque chose."

Je ne réalisai pas aussitôt la situation dans laquelle je me trouvais. Ce cousin beaucoup plus jeune que moi qui me téléphonait soudain après quinze ans de silence disait vouloir me demander quelque chose. Il me fallait un peu de temps pour assimiler cela. Mais j'avais beau réfléchir, je n'avais aucune idée de ce que je pouvais faire pour lui. Le mieux était d'attendre qu'il se mît à parler.

"En fait, je rentre à l'université en avril.

— Tu es déjà si grand ?!" m'exclamai-je, sincèrement étonnée. La dernière fois que je l'avais vu, il n'avait que quatre ans.

"Donc, je cherche à me loger, et je suis ennuyé car je ne trouve rien. C'est ainsi que j'ai soudain pensé à toi.

— A moi ?

— Oui. Tu as vécu dans une résidence universitaire qui était très bien, n'est-ce pas ?"

A ce point de la conversation, je dus encore une fois remonter dans mon souvenir. J'avais relégué presque aussi loin que mes jeux avec mon cousin les quatre années que j'avais passées, de dix-huit à vingt-deux ans, dans cette résidence.

“Mais comment savais-tu que j’étais dans une résidence universitaire ?

— Même si j’étais beaucoup plus jeune, j’en ai entendu parler par la famille”, me répondit-il.

C’est vrai que c’était peut-être une bonne résidence pour étudiants. Il y régnait le calme et la discrétion, et on ne s’y souciait pas d’idéologies, d’orientations ni de règlements. Loin s’en faut, on ne semblait pas non plus préoccupé de faire des bénéfices. Si bien que le loyer était étonnamment bas.

Ce n’était ni une société ni une association qui en avait la charge, mais un particulier. Dans ces conditions, le terme de pension aurait peut-être été plus juste. Mais c’était indubitablement une résidence pour étudiants. Le hall d’entrée haut de plafond, les tuyaux de chauffage qui couraient le long des murs du couloir, les petits massifs de la cour délimités par des briques, tout était en accord avec l’appellation de résidence universitaire. J’aurais été bien incapable d’imaginer un tel endroit à partir du mot pension.

“Mais c’est loin de la gare, les chambres sont petites, et le bâtiment est assez vieux, tu sais. Et je suis diplômée depuis déjà un certain temps.”

J’avais d’abord énuméré ce qui jouait en sa défaveur.

“Ce n’est pas grave. Cela ne me dérange pas du tout. De toute façon, je n’ai pas d’argent”, dit-il carrément.

Une des causes de notre éloignement était qu’il avait perdu son père, mon oncle, emporté par la maladie alors qu'il était encore enfant. Par conséquent, force lui était de faire attention à ses dépenses.

"Je comprends. Il n'y a aucun doute que financièrement parlant c'est le plus intéressant. Tu peux être tranquille sur ce point.

— C'est vrai ?" dit-il tout content.

"Je vais essayer de prendre contact. Elle n'était pas très en vogue et il y avait toujours des chambres libres, aussi cela m'étonnerait que tu ne puisses pas y avoir une place. Mais il est possible qu'elle ait fait faillite, tu sais. En tout cas, tu peux loger chez nous jusqu'à ce que tu aies trouvé un endroit où t'installer. Viens à Tôkyô quand tu veux.

— Je te remercie beaucoup."

Je savais qu'il souriait à l'autre bout du fil.

C'est ainsi que je fus amenée à reprendre contact avec la résidence universitaire.

Il fallait commencer par téléphoner là-bas. Mais le numéro m'était complètement sorti de la tête. J'ouvris donc avec appréhension l'annuaire professionnel. Je me demandais si une résidence aussi modeste y était répertoriée. Mais à ma grande surprise, elle y figurait. Son numéro de téléphone était discrètement inscrit sur une ligne serrée entre deux placards publicitaires vantant les mérites des résidences modernes, du style : "Chauffage et air conditionné, système de sécurité, salle de gymnastique, salle de piano insonorisée. Chambres avec salle de bains, toilettes, téléphone et placard. Environnement agréable, dans un nid de verdure au cœur de la ville…"

Ce fut le directeur qui me répondit. A la fois administrateur et gérant, il habitait sur place. Mais la tradition voulait que les pensionnaires l'appellent directeur.

"J'ai eu mon diplôme il y a six ans, et j'ai habité chez vous pendant quatre ans..."

Puis je lui dis mon nom de jeune fille, et il se souvint aussitôt de moi.

Sa manière de parler n'avait pas changé. Comme l'image que je gardais de lui était liée à cette manière de parler si particulière, j'éprouvai un certain soulagement au son de sa voix qui était toujours la même. Elle était rauque et il parlait dans une lente expiration laissant à penser qu'il respirait profondément. Sa voix était tellement fugitive qu'on pouvait craindre de la voir disparaître d'un moment à l'autre, aspirée tout au fond de cette profonde inspiration.

"Je vous appelle parce que mon cousin qui va entrer à l'université ce printemps cherche un endroit où se loger, alors j'aimerais savoir s'il vous serait possible de le prendre chez vous."

Je lui avais exposé brièvement ma demande.

"Ah bon..." me répondit-il dans un souffle, en hésitant à continuer.

"Dois-je en conclure que ce n'est pas possible ?

— Non. Ce n'est pas cela."

Et le directeur ravala encore une fois ses paroles.

"Si ça se trouve, vous avez renoncé à diriger la résidence ?

— Non, je n'ai pas arrêté. Elle est toujours là. Comme je n'ai pas d'autre endroit où habiter, elle fonctionne dans la mesure où j'y suis encore."

Il avait insisté sur le mot "fonctionne".

"Seulement la situation, ou l'organisation si vous préférez, est différente de quand vous étiez ici.

— L'organisation ?

— Oui. Je ne sais trop comment vous expliquer, car moi-même je ne comprends pas très bien. En tout cas, en ce moment, je suis dans une position difficile et compliquée."

Le directeur eut une petite toux sèche à l'autre bout du fil. En écoutant le bruit que cela fit, je me demandai à quoi pouvait bien ressembler la situation difficile et compliquée dans laquelle la résidence était tombée.

"Je peux essayer de vous expliquer les choses concrètement en vous disant par exemple que le nombre de résidants a considérablement diminué. Quand vous étiez là, il y avait déjà des chambres inoccupées, mais ce n'est pas comparable. Par conséquent, on ne peut plus assurer les repas au réfectoire. Vous vous souvenez du cuisinier que nous avions ?"

Je lui répondis que oui, en revoyant celui-ci travailler en silence dans l'étroite cuisine tout en longueur.

"J'ai dû m'en séparer. C'est bien triste. Il faisait si bien la cuisine... Quant au grand bain, on ne peut plus le faire chauffer quotidiennement. On le prépare un jour sur deux. Le pressing et le marchand de boissons ne viennent plus prendre les commandes. Et toutes les fêtes, comme le pique-nique de printemps pour les fleurs de cerisier ou la soirée de Noël, ont été supprimées.”

La voix du directeur avait faibli.

“De tels changements n'ont pas tellement d'influence sur la situation de la résidence, ne croyez-vous pas ? Je trouve que ce n'est ni difficile, ni compliqué.”

J'avais envie de lui remonter le moral.

“Oui, vous avez raison. Ces changements en eux-mêmes n'ont aucune signification. Ce dont je viens de vous parler ne constitue que la partie extérieure de ce que je dois vous dire, un peu comme la calotte crânienne. La nature véritable du problème se cache tout au fond de la glande pinéale qui se trouve au cœur du cervelet, lui-même au cœur du cerveau.”

Le directeur avait parlé avec circonspection, en choisissant ses mots. J'essayai, mais en vain, de comprendre la situation de décrépitude de la résidence, en me remémorant les pages intitulées : “Structure du cerveau” de mon livre de sciences de l'école primaire.

“Je ne peux rien vous dire de plus. En tout cas, la résidence est en train de subir une déstructuration particulière. Mais celle-ci n'est pas de nature à refuser la demande d'inscription de quelqu'un comme votre cousin. Alors je vous en prie, ne vous gênez pas pour me rendre visite. A dire vrai, je suis très heureux. Je suis content que vous n'ayez pas oublié votre résidence. Dites à votre cousin de venir me voir avec une fiche d'état civil, son certificat d'inscription à l'université, ah, et puis n'oubliez pas d'y joindre la signature du garant.

— C'est d'accord", lui dis-je sans trop savoir à quoi m'en tenir, avant de raccrocher le combiné.

Cette année-là, le printemps fut très nuageux. Le ciel semblait recouvert d'un verre dépoli réfrigérant. Les balançoires du jardin public, le massif de fleurs de la place de la gare qui représentait une pendule et les bicyclettes dans le garage étaient prisonniers d'une lumière blafarde. Jour après jour, la ville n'arrivait pas à se libérer de l'emprise de l'hiver.

Ma vie elle aussi tournait en rond, prisonnière de la saison. A mon réveil, je traînais au lit pour gagner le plus de temps possible avant de prendre mon petit déjeuner. Je passais pratiquement toutes mes journées à faire du patchwork. Le travail consistait tout bonnement à aligner des morceaux de tissu sur la table pour les coudre ensemble. Puis je dînais, frugalement, avant de passer ma soirée devant la télévision. Je n'avais ni rendez-vous, ni dates limites à respecter, ni projets d'aucune sorte. Les jours se succédaient, informes, comme ramollis par l'humidité.

J'étais en train de surseoir aux divers embêtements de la vie. Mon mari était parti en Suède pour construire les pipelines d'un gisement de pétrole sous-marin. Je devais attendre au Japon qu'il me fasse venir dès que la vie serait possible là-bas. J'étais enfermée, comme dans un cocon, à l'intérieur de ces heures creuses dont l'arrivée m'avait prise au dépourvu.

Je me posais parfois des questions inquiètes sur ce pays qu'était la Suède. Je ne connaissais rien de ses habitudes culinaires, de ses programmes télévisés, ni de l'aspect physique de ses habitants. A la pensée de devoir aller m'installer dans un endroit aussi abstrait, j'étais si malheureuse que j'espérais voir se prolonger cette période de latence.

Par une de ces nuits de printemps, la tempête se déchaîna et le tonnerre gronda. Il était d'une violence telle que j'en avais rarement vu jusque-là. Si bien que je crus au début faire un cauchemar. Les éclairs couraient dans le ciel nocturne bleu outremer, produisant à chaque fois un bruit de vaisselle cassée. La foudre arrivait tout droit du lointain pour éclater juste au-dessus du toit, et à peine les derniers échos s'étaient-ils éteints que le coup suivant éclatait. Je les entendais arriver si près de moi qu'ils me semblaient à portée de main.

La tempête n'en finissait pas. De mon lit, je gardais les yeux fixés sur les ténèbres si profondes que j'avais l'illusion de me trouver au fond de la mer. En retenant ma respiration, je les sentais vibrer légèrement. Les particules d'obscurité, comme effrayées, s'entrechoquaient dans l'espace. J'étais seule, mais je n'avais pas peur. J'étais même tranquille au milieu de la tempête. J'étais calme comme quelqu'un qui est emporté au loin. J'avais l'impression d'être entraînée vers un monde lointain que je n'aurais jamais pu atteindre par mes propres moyens. Je ne savais pas très bien quel était ce monde. La seule chose que je pouvais comprendre, c'était qu'il était calme, immobile et serein. J'essayais de l'apercevoir au loin, les yeux vrillant les ténèbres, tout en percevant le bruit des éléments déchaînés.

Et le lendemain de la tempête, mon cousin arriva.

"C'est gentil d'être venu."

Il y avait tellement longtemps que je n'avais pas parlé avec un jeune de son âge que je me tus aussitôt, ne sachant plus quoi dire.

"J'ai peur de te déranger", me dit-il en inclinant doucement la tête.

Il avait terriblement grandi. La ligne élancée de sa nuque, de ses doigts et de ses bras se fixa pour longtemps au fond de ma rétine. Les muscles soutenaient harmonieusement cette ligne. Mais ce fut sa manière de sourire qui m'impressionna le plus. Il souriait discrètement, tête baissée, l'index de la main gauche effleurant la monture argentée de ses lunettes. Son souffle léger s'échappait faiblement par les interstices de sa main gauche. C'était bien un sourire, mais sous les cils, on aurait dit un soupir déchirant. Je finis par garder mes yeux fixés sur lui, pour ne pas perdre le moindre mouvement expressif à chaque fois qu'il sourirait.

Nous commençâmes une conversation à bâtons rompus. Nous parlâmes de sa mère, des faits marquants de sa jeunesse entre quatre et dix-huit ans, et de la raison de l'absence de mon mari. Au début, il y avait des silences bien trop longs entre chacun des sujets que nous abordions. Comme je les supportais mal, je faisais des réflexions qui n'avaient pas grande signification ou me raclais la gorge.

Mais dès que la conversation s'orienta vers nos souvenirs d'enfance datant de l'époque où nous allions chez notre grand-mère, les mots commencèrent à se former en moi. Mon cousin se souvenait de manière surprenante des scènes où nous étions tous les deux. Les circonstances qui les entouraient ou l'histoire avaient complètement disparu, mais chaque image s'était gravée avec précision et en couleurs dans sa mémoire.

“Quand nous aidions grand-mère à équeuter les haricots verts sur la véranda, il y avait des crabes de rivière qui venaient s'égarer dans le jardin, tu te souviens ?”

Il évoquait nos après-midi d'été à la campagne.

“Oui, bien sûr.”

Grâce à lui, mes vieux souvenirs ressuscitaient les uns après les autres.

“Quand j'en trouvais un, je te criais toujours de l'attraper.

— Oui. Et quand je te disais que ça se mangeait, tu me fixais avec un drôle d'air en me faisant remarquer qu'il était vivant. Tu croyais qu'on ne pouvait manger que ce qui était mort.”

Il partit d'un grand éclat de rire.

"On le faisait cuire, et à l'instant où tu l'introduisais dans l'eau bouillante, il se débattait un moment en griffant l'intérieur de la casserole avec ses pinces, avant de se calmer subitement. C'est alors que sa couleur passait d'un rouge éteint à un rouge franc et éclatant. J'aimais beaucoup observer, dans cette cuisine sombre, le processus qui amenait le crabe de rivière à se changer en aliment."

Nous nous assurions ainsi que toutes ces situations que nous avions partagées avaient réellement existé. Il eut parfois au cours de notre conversation un sourire émouvant qui contribua largement à me mettre à l'aise.

Comme il était venu à Tôkyô presque sans rien, il fallut acheter certaines choses qui lui seraient nécessaires pour vivre à la résidence universitaire. Nous fîmes une liste sur une feuille de bloc-notes en les classant par ordre d'importance afin de pouvoir acheter le maximum de choses dans les limites de son budget. Celui-ci étant assez mince, nous fûmes obligés d'en sacrifier un certain nombre et de réfléchir au moyen d'y suppléer. Puis, nous aidant de toutes sortes d'informations et de conseils, nous parcourûmes Tôkyô dans tous les sens à la recherche d'objets de la meilleure qualité au prix le plus bas. Pour la bicyclette par exemple, qui se trouvait en tête de liste, il nous fallut une demi-journée et cinq marchands avant d'en trouver une d'occasion, solide et pas chère, tandis que je décidais de repeindre les rayonnages de notre débarras qui lui serviraient de bibliothèque et de lui offrir les livres dont il aurait besoin comme cadeau d'entrée à l'université.

Ces humbles achats me remplirent de joie et contribuèrent à établir un lien amical entre nous. Dès qu'une chose était réglée, nous étions tout heureux d'avoir atteint notre but commun. Nous étions d'autant plus en paix que le but que nous nous étions fixé était modeste.

Ma vie qui jusqu'alors était en sommeil comme celle du ver à soie se remit soudain à palpiter. Je lui fis à chaque repas de la cuisine soignée, l'accompagnai pour tous ses achats, et l'emmenai même visiter Tôkyô. Le patchwork que j'avais commencé était rangé n'importe comment dans ma boîte à couture. Cinq jours s'écoulèrent en un clin d'œil.

Et la date de l'inscription à la résidence arriva. Nous changeâmes trois fois de train, et il nous fallut une heure et demie pour arriver dans une petite gare de la banlieue de Tôkyô.

C'était la première fois que j'y revenais depuis que j'avais quitté cette résidence à la fin de mes études universitaires. En six ans, l'atmosphère de l'endroit ne s'était pas beaucoup modifiée. C'était un paisible faubourg avec, dès la sortie des guichets, une pente douce, un jeune policier debout à l'entrée du poste de police, et des lycéens à bicyclette se frayant un passage au milieu de la rue commerçante.

“Comment est-il, ce directeur ?” me demanda mon cousin dès que nous eûmes quitté les abords animés de la gare pour entrer dans le quartier résidentiel.

“En fait, je ne sais pas très bien, lui répondis-je franchement. La seule chose dont je suis sûre, c’est qu’il est l’administrateur. Mais je ne sais pas si ce terme convient. Je ne peux pas croire que cela lui rapporte de l’argent. Et pourtant, la religion n’y est pas mêlée, pas plus que des sociétés qui bénéficieraient ainsi de mesures fiscales. Je me demande pourquoi il n’utilise pas son terrain à meilleur escient.

— C’est une bonne chose pour les étudiants qui comme moi n’ont pas d’argent. Peut-être le fait-il uniquement par charité ?

— Oui, peut-être”, lui répondis-je.

Deux écoliers, des jumeaux, jouaient au badminton en bordure de la route. Ils se ressemblaient tellement qu’on avait de la peine à faire la différence, et en plus ils ne rataient presque jamais leur coup. Le volant allait et venait d’une manière parfaitement symétrique. Sur la véranda d’un appartement, une jeune femme était en train d’étendre au soleil la couette d’un lit de bébé. Des bruits de battes métalliques s’élevaient du terrain de sport du lycée technique. C’était un paisible après-midi de printemps.

“Le directeur habite dans une des pièces de la résidence. Elle est aussi petite que celle des autres étudiants, tu sais. Elle n’est pas particulièrement luxueuse. Il y vit seul. Je ne sais pas ce qui s’est passé, mais il me semble qu'il n'avait pas de famille. Il ne m'a jamais montré de photos et je n'ai jamais vu personne lui rendre visite.

— Il a quel âge à peu près ?"

Il avait fallu que mon cousin me posât la question pour m'apercevoir que je n'y avais jamais vraiment réfléchi. J'avais beau me remémorer son visage, je n'en retirai que le vague sentiment qu'il n'était plus si jeune. Cela venait peut-être du fait qu'il était détaché de toutes contingences. Il n'avait ni famille, ni position sociale, ni âge. Il n'avait aucun lien avec personne, n'appartenait à rien.

Je n'eus d'autre réponse que celle-ci :

"Il est sans doute dans la seconde moitié de sa vie. En tout cas, on ne sait pas grand-chose de lui. On n'a pas souvent l'occasion de le rencontrer, même en vivant à la résidence. On le voit uniquement pour lui payer le loyer, ou tout au plus pour l'informer qu'une ampoule a grillé sur le palier ou qu'il y a une fuite dans la lingerie. Mais tu n'as pas à t'inquiéter. Une chose est sûre, c'est qu'il n'est pas un mauvais homme.

— Je vois", dit mon cousin.

Le printemps était arrivé en force à partir de cette nuit de tempête. Malgré le temps toujours aussi nuageux, on sentait que le vent s'imprégnait d'une certaine tiédeur qui ne repartirait plus. Mon cousin tenait fermement serrée contre son flanc une enveloppe contenant les papiers nécessaires à son inscription. Un oiseau chantait quelque part, assez loin.

"J'ai oublié de te préciser..."

Je me décidai enfin à aborder quelque chose qui me tracassait depuis longtemps et que je n'arrivais pas à lui dire. Mon cousin attendait la suite, la tête légèrement penchée vers moi.

"Il lui manque une jambe et les deux bras."

Un léger silence s'installa dès que j'eus fini ma phrase, puis mon cousin répéta d'une voix douce ce que je venais de lui dire :

"Il lui manque une jambe et les deux bras…

— Oui. Encore que c'est plus simple de dire qu'il ne lui reste que la jambe droite.

— Que s'est-il passé ?

— Je ne sais pas. Je pense que c'est un accident. Il y avait pas mal de rumeurs qui couraient parmi les étudiants. Certains disaient qu'il avait été pris dans une presse, d'autres que c'était à cause d'un accident de la circulation. Mais personne ne pouvait lui demander ce qui s'était passé exactement. La raison pour laquelle on lui a coupé les deux bras et une jambe est forcément cruelle.

— En effet…"

Mon cousin baissa les yeux vers le sol et donna un coup de pied dans un caillou.

"Il peut tout faire seul. Il arrive à préparer ses repas, à se changer, à sortir. Il peut même se servir d'un ouvre-boîte ou d'une machine à coudre. Alors on ne tarde pas à ne plus y faire attention. On finit même par se dire que ce n'est pas grand-chose. Seulement, j'ai pensé qu'il valait mieux que tu sois au courant pour t'éviter un trop grand choc.

— Tu as raison."

Mon cousin donna encore une fois un coup de pied dans un caillou.

Nous tournâmes à plusieurs coins de rues, franchîmes un passage clouté, gravîmes une côte. Nous passâmes devant la boutique d'un coiffeur qui exposait dans sa vitrine des perruques démodées, puis une grande maison avec une pancarte où l'on avait écrit à la main "Cours de violon", et enfin les petits jardins potagers loués par la ville et qui sentaient bon la terre. Tout me revenait maintenant. C'était étrange pour moi de marcher dans ce paysage qui m'était si familier, aux côtés de ce cousin que je n'aurais jamais imaginé revoir un jour. Le souvenir que j'avais de lui encore tout petit se mêlait tranquillement à celui que j'avais de la résidence universitaire, comme dans une aquarelle.

"Qu'est-ce que ça fait de vivre seul ?" questionna-t-il soudain, comme s'il se parlait à lui-même.

"Tu es inquiet ?" lui demandai-je à mon tour, et il secoua la tête.

"Non, pas du tout. Mais je me sens un peu tendu. C'est toujours comme ça quand des choses nouvelles se présentent à moi. Ce fut pareil à la mort de mon père, quand la fille que j'aimais a changé d'école, et au moment où le poussin dont je m'occupais a été dévoré par un chat sous mes yeux.

— C'est vrai. Peut-être que vivre seul ressemble à ce que l'on éprouve quand on perd quelque chose."

Je levai les yeux vers mon cousin. Son profil, alors qu'il regardait au loin droit devant lui, se détachait sur le ciel brumeux. “Si jeune, il a déjà perdu tant de choses auxquelles il tenait, son poussin, la fille qu'il aimait, son père”, pensai-je.

“Mais même si on est triste quand on vit seul, ce n'est pas à cause de cela qu'on est malheureux. Voilà en quoi c'est différent du sentiment de perte. Par exemple, même si on a perdu tout ce qu'on avait, on reste soi-même. C'est pour cela qu'il faut avoir une grande confiance en soi et ne pas être triste parce qu'on est seul.

— Je crois que je comprends”, me dit-il.

“Alors, tu ne dois pas te tracasser.”

Je lui donnai une légère tape dans le dos, et tout en posant le doigt sur la monture de ses lunettes, il esquissa ce sourire qui m'impressionnait tant.

Nous nous dirigions ainsi vers la résidence, en ménageant des plages de silence dans notre conversation. Autre chose me préoccupait en plus du physique du directeur. Je me répétais la phrase qu'il m'avait dite, que la résidence était “en train de subir une déstructuration particulière” et je ne savais pas comment lui en parler. Et après avoir tourné au dernier coin de rue, nous y arrivâmes enfin.

Il est certain que la résidence avait vieilli.

L'aspect extérieur dans son ensemble n'avait pas changé, mais quelques détails, comme la poignée de la porte d'entrée, la rampe de l'escalier de secours, ou l'antenne de télévision sur le toit, trahissaient la décrépitude. Peut-être cette évolution était-elle normale après tout, si l'on considérait le nombre de mois et d'années écoulés depuis la fin de mes études. Mais une force profonde et inexplicable était contenue dans le calme qui enveloppait tout. Les vacances de printemps ne suffisaient pas à expliquer cette parfaite tranquillité annonciatrice de déréliction.

Je restai un moment debout devant le porche d'entrée, plus écrasée par le silence imposant que par la nostalgie. Les herbes folles avaient envahi le jardin et un casque gisait abandonné dans un coin du parking réservé aux bicyclettes. La végétation frémissait en chuchotant au moindre coup de vent.

J'observai chaque fenêtre dans l'espoir d'y découvrir un signe de présence humaine. Elles étaient presque toutes hermétiquement fermées comme bloquées par la rouille et l'une d'elles qui était entrebâillée laissait voir un rideau décoloré. Sur la véranda poussiéreuse du toit avaient roulé çà et là des canettes de bière vides et des pinces à linge.

Les yeux toujours levés vers la résidence, je me rapprochai du corps de mon cousin, et ma poitrine vint effleurer son épaule. Nos yeux se rencontrèrent, et après avoir échangé un sourire complice, nous avançâmes prudemment en direction du bâtiment.

A l'intérieur, rien n'avait changé, au point que c'en était surprenant. Les motifs du paillasson dans l'entrée, le téléphone public d'un autre âge qui n'acceptait que les pièces de dix yen et le placard à chaussures dont la charnière était cassée étaient toujours exactement pareils. Seulement, en raison du calme profond qui régnait ici, toutes ces petites choses semblaient baisser tristement la tête.

Evidemment, il n'y avait aucun étudiant à l'horizon. Plus nous progressions à l'intérieur, plus nous avions le sentiment que le calme gagnait en profondeur et en intensité. Seul le bruit de nos pas était absorbé par le béton du plafond.

La pièce du directeur se trouvait après le réfectoire. Comme il me l'avait dit, maintenant que le cuisinier n'était plus là, l'endroit n'avait pas été utilisé depuis longtemps et tout était propre et sec. Nous le traversâmes lentement, d'un pas précautionneux.

Mon cousin frappa à la porte, et un instant plus tard, elle s'ouvrit en grinçant comme si elle accrochait quelque chose. Le corps plié en deux, le directeur faisait tourner en inclinant la tête la poignée qu'il tenait entre son menton et sa clavicule, aussi sa porte s'ouvrait-elle toujours de cette manière, maladroitement.

"Soyez les bienvenus.

— Enchanté de faire votre connaissance.

— Excusez-moi d'être restée si longtemps sans vous donner de nouvelles."

Faute de pouvoir lui serrer la main, nous avions à tour de rôle prononcé des paroles de salutations.

Comme six ans plus tôt, le directeur était vêtu d'un kimono bleu terne dont les manches flottaient car il ne portait de prothèse qu'à la jambe gauche.

Elles bougèrent légèrement quand, nous invitant à nous asseoir, il nous indiqua le sofa du bout de son épaule.

Je venais d'entrer chez lui pour la première fois, car lorsque j'étais résidante, nous avions l'habitude de régler tous nos problèmes à sa porte. Je n'avais donc jamais pu observer l'intérieur. C'était une pièce où tout était installé de manière à faciliter la vie. Chaque chose semblait y être à la place qu'on avait calculée pour elle. Le matériel pour écrire, la vaisselle ou la télévision étaient disposés à l'endroit le mieux adapté pour permettre une utilisation avec le menton, la clavicule et le pied. Par conséquent, si on regardait au-dessus d'une certaine hauteur, il n'y avait plus rien à voir. Seule une tache d'environ quinze centimètres de diamètre dans un coin du plafond attirait l'œil.

Les formalités administratives furent rapidement accomplies. Rien ne s'opposait à l'inscription de mon cousin dans cette résidence. Le directeur n'aborda pas avec lui le sujet de cette "déstructuration particulière".

Après avoir écouté les explications d'usage, mon cousin apposa sa signature d'une écriture carrée au bas du contrat d'engagement. Il s'agissait simplement de "promettre de mener une vie d'étudiant heureux au sein de cette résidence". J'essayai d'articuler le mot "heureux" intérieurement. Puis, tout en regardant ce terme empreint d'un lyrisme peu approprié à ce genre d'engagement, je me demandai si j'avais signé moi aussi un tel papier autrefois. Mais j'avais beau réfléchir, je ne m'en souvenais pas. Rien ne me revenait à l'esprit, ni la scène où le directeur me mettait le papier sous les yeux, ni le mot heureux. Je me rendis compte que j'avais complètement oublié quelques-unes des choses importantes qui concernaient la résidence.

"Eh bien, maintenant nous allons prendre le thé", proposa-t-il.

Il avait toujours la même voix légèrement rauque. Mon cousin me regarda d'un air un peu perdu, comme s'il n'avait pas bien compris. Il est vrai qu'il était difficile d'imaginer le directeur en train de préparer le thé. Je le regardai à mon tour d'un air significatif qui voulait dire : "Ne t'inquiète pas, il peut tout faire." Il regarda donc à nouveau le directeur, serrant fortement les lèvres, comme s'il était soudain pris de nervosité.

La boîte à thé, la théière, la Thermos d'eau chaude et les tasses étaient alignées sur la table à intervalles réguliers. S'appuyant d'abord sur sa jambe artificielle, le directeur posa doucement la jambe droite sur le bord de la table. Dans un geste si rapide qu'avec un peu de distraction on n'aurait rien remarqué. Elle était là, tranquille sous nos yeux, aussi douce que de la ouate. Le contraste entre la position forcée de son corps complètement replié sur lui-même et le geste élégant qu'il avait eu pour soulever son pied nous plongea dans la perplexité.

Ensuite, de la même manière que lorsqu'il avait tourné la poignée de la porte, il ouvrit la boîte à thé avec son menton et sa clavicule pour mettre du thé dans la théière. Il effectua cette opération d'une façon extraordinaire. Tout était parfait : la force qu'il mettait dans ses gestes, l'angle d'inclinaison de la boîte, la quantité de feuilles. La ligne souple de son menton et la rigidité de sa clavicule fonctionnaient en harmonie comme dans une mécanique bien huilée. Quand on l'observait attentivement, on avait l'impression de voir évoluer à cet endroit précis un organisme vivant, indépendant du reste de son corps.

Une lumière incertaine éclairait la fenêtre de la cour. Une rangée de tulipes fleurissait dans le modeste massif entouré de briques. Un pétale orange était tombé sur le sol. Rien ne bougeait, sauf le menton et la clavicule du directeur.

Mon cousin et moi, nous attendions le geste suivant comme si nous assistions à un cérémonial. Il appuya sur le bouton de la bouteille Thermos du bout du pied, et, après avoir rempli la théière d'eau bouillante, la prit entre le pouce et l'index pour verser le thé dans nos trois tasses. Le son grêle du liquide qui coulait doucement remplissait le calme ambiant.

Le pied droit du directeur était très beau : lisse, sans ecchymoses ni blessures, alors qu'il accomplissait certainement beaucoup plus de tâches que les miens. Le dessus en était bombé, le dessous semblait tiède et frémissant comme un oiseau, ses ongles étaient transparents, ses doigts tout en longueur. Je découvrais avec bonheur la beauté de chaque partie de ce pied. C'était la première fois que je pouvais observer le pied de quelqu'un tranquillement et de si près. Alors que je ne pouvais même pas me rappeler la forme de mon propre pied.

"S'il avait des mains, quelle forme auraient-elles ? me demandai-je. Ses longs doigts s'élanceraient-ils en ligne droite à partir de ses paumes largement épanouies ? Et comme les doigts de son pied droit, envelopperaient-ils tendrement toutes les choses ?" Je laissais aller mon imagination à propos de ses mains qui occupaient un espace invisible à l'extrémité de ses manches.

Quand il eut fini de nous servir le thé, le directeur abaissa son pied en toussotant. Puis il nous dit : "Servez-vous, je vous en prie", en baissant les paupières avec retenue. Nous le remerciâmes d'un hochement de tête avant de boire. Mon cousin prit son bol à deux mains et le vida lentement dans un geste de prière.

Nous prîmes congé après avoir visité la chambre qui allait devenir celle de mon cousin. Le directeur nous accompagna jusqu'à l'entrée.

"Alors à bientôt", nous dit-il.

"Cette résidence me plaît beaucoup", répondit mon cousin. Le directeur s'inclina pour nous saluer, et sa jambe artificielle émit un grincement désagréable. Ce bruit, semblable à un murmure navré, demeura un long moment entre mon cousin et moi.

Et le jour de son installation à la résidence arriva. Le déménagement se réduisit en fait à envoyer par transport rapide un carton plein de ce que nous avions acheté ensemble. Je soupirais à la pensée de devoir reprendre ma vie blottie dans son cocon après son départ. Je pris tout mon temps pour l'aider à se préparer comme pour retarder le plus possible la séparation.

"A l'université, la façon de faire les cours est complètement différente du lycée, n'est-ce pas ? Je me demande si j'arriverai à suivre. Et puis, je suis inquiet pour l'allemand, ma deuxième langue. Tu pourras m'aider ?

— Désolée, j'ai fait du russe.

— Ah bon ? Dommage."

Il se disait inquiet, mais il était gai en faisant ses bagages. Une nouvelle vie de liberté l'attendait.

"Si tu as un problème, tu me le fais savoir tout de suite. Si tu es à court d'argent, si tu tombes malade, si tu te perds…

— Me perdre ?

— C'est une supposition. Viens dîner de temps en temps à la maison. Je te ferai de bons repas. Et puis tu peux me demander conseil au cas où tu tomberais amoureux. C'est un domaine où j'excelle."

Il acquiesçait en souriant à chacune de mes propositions.

C'est ainsi que mon cousin partit, tout seul cette fois-ci, pour la résidence. Cette petite séparation pesa plus lourd en mon cœur que je ne l'aurais cru. Avec son sweater sur les épaules et son *Boston bag* à la main, il disparut au loin jusqu'à devenir un point noir absorbé par la lumière. Au moment de sa disparition, je me sentis si terriblement seule que je faillis me trouver mal, mais je gardai les yeux fixés indéfiniment au loin sans battre des paupières. Et cela n'empêcha pas le point de fondre comme un flocon de neige au soleil.

Après le départ de mon cousin, je revins à ma vie ordinaire. Les jours se succédaient, faits de somnolence, de repas légers et de patchwork. J'avais ressorti de ma boîte à couture mon ouvrage entamé et j'avais dû le défroisser au fer à repasser. Je cousais entre eux à l'infini des morceaux de vichy et de cachemire, violets ou jaunes. Je cousais soigneusement les bordures préalablement fixées par des épingles. J'étais tellement absorbée par mon travail que de temps en temps je ne savais plus ce que j'étais en train de faire. Alors, je dépliais le patron, pour murmurer : "Ah, c'est un dessus-de-lit", ou : "C'était bien une tenture murale", avant de me remettre à coudre les morceaux ensemble, soulagée.

Je regardais mes doigts qui tenaient l'aiguille en pensant au beau pied droit du directeur. J'évoquais sa main et ses doigts fantômes qui avaient disparu je ne sais où, les tulipes du massif, la tache au plafond et la monture des lunettes de mon cousin. Je les reliais tous les trois ensemble : le directeur, la résidence et mon cousin.

Peu après la rentrée universitaire, je me rendis à la résidence pour voir comment mon cousin était installé. Il faisait beau ce jour-là, et les pétales des cerisiers commençaient à tomber sur le sol en voltigeant comme des papillons.

Mais il n'était pas encore rentré de la faculté. Je me résignai donc à l'attendre dans le bureau du directeur. Assis sur la véranda, nous mangeâmes les parts de génoise à la fraise et à la crème Chantilly que j'avais apportées en cadeau.

Alors que le premier trimestre venait de commencer, la résidence était toujours aussi calme. A peine eus-je le temps de surprendre un léger bruit de pas venant du fond du bâtiment qu'il fut aussitôt balayé par un courant d'air. A l'époque où j'y habitais, on y entendait pourtant toujours de la musique, des éclats de rire, des vrombissements de motocyclette, tandis que maintenant il me semblait que l'endroit avait été à jamais débarrassé de tout bruit évoquant la vie.

Dans le massif de fleurs, les tulipes orange avaient été remplacées par une rangée d'un rouge plus foncé. Une abeille jouait à cache-cache entre les pétales en forme de calice.

"Il va bien ?" demandai-je en baissant les yeux vers les gâteaux.

"Oui, très bien. Il part tous les jours vaillamment sur sa bicyclette, ses livres accrochés à l'arrière sur son porte-bagages", me répondit le directeur. Puis, tenant la fourchette à gâteaux entre ses doigts de pied, il porta à ses lèvres une bouchée de génoise et de crème.

La petite fourchette convenait bien à son pied. Sa couleur argentée se mêlait harmonieusement à la ligne souple de sa cheville, au mouvement imperceptible de ses orteils et au brillant de ses ongles.

“Il m’a dit qu’il était entré dans l’équipe de handball. On dirait qu’il est un assez bon athlète.

— Non, pas autant que vous le supposez. Au lycée, son équipe n’a obtenu que la deuxième ou la troisième place des championnats départementaux.

— Peut-être, mais il est merveilleusement bien bâti pour faire du sport. Peu de jeunes gens peuvent s’enorgueillir d’avoir un corps aussi parfait que le sien. Je sais de quoi je parle.”

Après avoir dit ces mots, il mit dans sa bouche un morceau de gâteau qui tremblait au bout de ses doigts de pied, et l’avala en remuant son menton lentement et avec prudence.

“La première fois que je rencontre quelqu’un, je ne fais jamais attention à sa tenue ni à sa personnalité. La seule chose qui m’intéresse, c’est son corps en tant qu’organisme. Uniquement l’organisme.”

Tout en bavardant, le directeur s’emparait d’un deuxième morceau de gâteau.

“Je relève tout de suite les anomalies telles que le déséquilibre entre les biceps droit et gauche, les traces de foulure sur la deuxième phalange du petit doigt, ou les déformations de la cheville. C’est vite fait. Quand je me souviens des gens, c’est d’un corps composé de bras, de jambes, d’un cou, d’épaules, d’un buste, d’un bassin, de muscles et d'os. Il n'y a pas de visage. Je suis surtout spécialiste des corps jeunes. C'est mon métier qui veut ça. Mais ce n'est pas pour cette raison que je souhaite y apporter des modifications. C'est comme si je feuilletais un dictionnaire médical. C'est drôle, n'est-ce pas ?"

Les yeux fixés sur la fourchette en argent, je n'étais capable ni d'acquiescer, ni de secouer la tête. Il engloutit sa deuxième bouchée de gâteau.

"Comme je ne sais pas ce que c'est que d'avoir deux mains et une jambe gauche, je n'ai aucune idée de la sensation que l'on peut éprouver en les bougeant. C'est pour cette raison que je suis intéressé par le corps des autres."

Je n'apercevais qu'un tout petit morceau de sa jambe artificielle qui pendait de la véranda. C'était un éclair métallique, recouvert d'un *tabi* à son extrémité et dissimulé derrière le pan de son kimono. Le directeur mangeait son gâteau d'un air gourmand. Bouchée après bouchée, il léchait fort proprement la crème sur sa fourchette et sur ses lèvres. La vieille jambe artificielle blottie dans la pénombre et la génoise aux fraises et à la crème Chantilly clignotaient à l'intérieur de ma tête.

"Et je peux vous garantir qu'il a un corps absolument magnifique. Des doigts vigoureux pour tenir la balle de cuir blanc, une colonne vertébrale à toute épreuve pour tirer en sautant, de longs bras qui gênent l'adversaire, de solides omoplates pour faire des passes longues, des gouttes de transpiration qui s'écrasent sur le sol du gymnase…"

Le directeur aurait pu parler indéfiniment du corps de mon cousin. J'avais entendu, non sans un certain sentiment de curiosité, les mots colonne vertébrale ou omoplate tomber de ses lèvres où s'attardait encore la douceur de la crème. Divaguait-il au sujet des corps aux organes parfaits des jeunes étudiants tout en manœuvrant sa jambe droite, sa clavicule et son menton dans une des pièces de cette triste résidence ? Je trouvais que c'était une distraction pénible.

Les rayons du soleil se déversaient sur la végétation du jardin qui en était tout illuminé. Il soufflait une brise légère. L'abeille qui un instant plus tôt voletait au milieu des tulipes passa entre nous deux, et entra dans la pièce pour aller se poser au plafond, en plein milieu de la tache. Celle-ci me paraissait légèrement plus large que la dernière fois. Elle formait un rond plus sombre, comme si on avait mélangé des peintures de toutes les couleurs. Les ailes vrombissantes de l'insecte se découpaient dessus en transparence.

Le directeur avala d'un coup la fraise du dessus du gâteau qu'il avait gardée pour la fin.

Mon cousin tardait à rentrer. Je tendis l'oreille pour surprendre un éventuel bruit de bicyclette, mais je ne perçus que le bourdonnement de l'abeille.

Le directeur se mit à tousser. C'était une petite toux semblable à un chuchotement.

Finalement, il me fut impossible de rencontrer mon cousin ce jour-là. Il téléphona à la résidence pour prévenir qu'il était retenu à l'université par quelque chose d'important.

Je retournai à la résidence une dizaine de jours plus tard. Ce fut un *apple-pie* que j'emportai cette fois-ci comme cadeau. Mais il me fut impossible de le donner en mains propres à mon cousin.

"Il vient tout juste de me téléphoner. Il paraît qu'en rentrant de l'université, un accident sur la voie l'a contraint à s'arrêter dans une gare en cours de route", me dit le directeur qui nettoyait le jardin avec un balai de bambou.

"Quel genre d'accident ?

— Quelqu'un s'est jeté sous le train.

— Ah bon ?..."

La boîte à gâteau blanche serrée sur ma poitrine, je soupirai contre ce hasard malheureux qui survenait pour la seconde fois. Je vis ensuite les muscles éclatés comme une tomate trop mûre, les cheveux collés au gravillon, les éclats d'os projetés sur les traverses.

Une douceur printanière enveloppait tout. Même la bicyclette cassée abandonnée dans un coin du jardin recevait la caresse du vent. La boîte d'*apple-pie* tiédissait.

"Puisque vous êtes là, restez donc un moment.

— Je vous remercie", répondis-je en inclinant la tête.

Le jardin n'était pas très sale, mais le directeur s'activait. Il passait plusieurs fois le balai au même endroit, rassemblait soigneusement les détritus. Comme il avait la tête fortement inclinée pour maintenir le balai de bambou serré entre son cou et sa clavicule, il semblait tourmenté par de profondes réflexions quand il nettoyait ainsi.

Le bruit du bambou qui raclait le sol se répétait doucement. Je levai les yeux vers la chambre de mon cousin et vis une paire de chaussures de handball qui séchait sur la véranda.

“Comme c’est calme”, remarquai-je.

“C’est vrai.”

Le bruit du balai de bambou continuait.

“Combien avez-vous de résidants actuellement ?

— Très, très peu”, me répondit-il avec circonspection.

“Combien de nouveaux avez-vous eus cette année en dehors de mon cousin ?

— Personne, il est le seul.

— C’est triste quand il y a beaucoup de chambres vides, n’est-ce pas ? Quand j’étais ici, il m’est arrivé une fois de ne pas rentrer chez moi pour les fêtes du Nouvel An, et j’ai eu un mal fou à m’endormir tellement j’avais peur.

— …

— Vous ne mettez pas d’annonces quelque part pour recruter des pensionnaires ?

— …”

Le silence se prolongea un moment. La bicyclette du facteur passa tout droit dans la rue.

“C’est à cause de la rumeur”, dit-il soudain.

“La rumeur ?” répétai-je, surprise.

“Oui. Une rumeur qui a fait diminuer le nombre de résidants.”

Et le directeur commença son histoire comme s’il s’agissait d’un véritable récit.

“En février, l’un de nos étudiants a disparu subitement. Il a disparu, c’est bien le mot exact. Il s’est tout bonnement volatilisé. A tel point que je me suis demandé comment un être humain, pourvu d’un cerveau, d’un cœur, de bras et de jambes, et doué de parole pouvait disparaître aussi simplement. Rien ne pouvait le laisser prévoir. Inscrit en première année de mathématiques, il recevait une aide financière habituellement réservée à un petit nombre d’étudiants choisis parmi les meilleurs. Il avait beaucoup de camarades et sortait régulièrement avec sa petite amie. Son père était professeur d’université en province, sa mère écrivait des contes pour enfants, et il avait une petite sœur très mignonne beaucoup plus jeune que lui. Un environnement irréprochable. Mais peut-être que cela n’a aucun rapport avec la cause de sa disparition.

— Il n’y avait aucun indice ? Pas de message ni de lettre ?”

Le directeur secoua la tête.

“La police a fait une enquête très fouillée. On pouvait penser qu’il avait été entraîné malgré lui dans une affaire qui le dépassait. Mais on n’a rien trouvé qui aurait pu le faire supposer. Il a disparu en emportant avec lui un livre de mathématiques et un cahier de notes.”

A ce moment-là, le balai qui était appuyé sur son épaule tomba brusquement. Mais le directeur continua son récit sans y prêter attention.

“J’ai moi aussi été convoqué par la police pour un interrogatoire. On m’a soupçonné. On m’a posé des tas de questions sur ma vie pendant les cinq jours qui ont entouré sa disparition. On a tout décortiqué : les propos que nous avions échangés, le nombre de pages que j’avais lues et de quoi elles traitaient, l’identité des gens qui avaient téléphoné et à quel sujet, le menu de mes repas, la fréquence de mes visites aux toilettes, tout. Chaque chose a été transcrite en phrases, qui ont été recopiées, corrigées, relues. C’est comme trier les grains de sable sur la plage. Il a fallu trois fois plus de temps pour vérifier tout ce qui s’était passé pendant ces cinq jours. J’étais épuisé. Le moignon qui supporte ma jambe artificielle s’est mis à suppurer et à me faire souffrir. Mais on a eu beau faire, tout cela n’a servi à rien. Il n’a jamais réapparu.

— Pourquoi vous a-t-on soupçonné ? Lui aviez-vous fait quelque chose ?

— Je n’en ai pas la moindre idée. Ils ont certainement pensé que j’avais une part de responsabilité dans sa disparition. Et pour les gens, le seul fait d’être convoqué par la police, c’est déjà toute une histoire. Même si devant moi ils n’ont rien dit. Ils ont répandu une rumeur beaucoup plus sournoise et cruelle. Et c’est à cause de cela que la plupart des résidants sont partis.

— C’est une histoire épouvantable.

— Une rumeur est absurde. Et surtout, je me demande où a bien pu passer l'énorme dossier concernant ma vie privée. Quand je me mets à y réfléchir, je me sens complètement vide."

Il ferma les yeux et toussa deux ou trois fois. Puis il s'excusa et se remit à tousser plusieurs fois de suite. Mais cela ne le calma pas, et la toux se fit de plus en plus profonde dans sa poitrine. Il se plia en deux et, penché vers le sol, expira avec difficulté.

"Ça va ?"

Je m'approchai, posai la main sur son dos. Je me rendis compte alors que je le touchais pour la première fois. Son kimono était épais et rude sous mes doigts, mais son dos, si frêle, semblait sur le point de se disloquer. A chaque fois qu'il toussait, ma paume était secouée de vibrations.

"Je crois que vous feriez mieux d'aller vous reposer dans votre chambre.'

J'avais maintenant la main sur son épaule. Cette épaule dépourvue de bras m'apparaissait vulnérable et solitaire.

"Je vous remercie. Ces derniers temps, comme vous venez de le voir, il m'arrive de tousser et d'avoir des difficultés à respirer."

Son corps était dur sous mes doigts. Nous restâmes un moment immobiles dans cette position. L'abeille volait à nos pieds. De temps en temps, il lui prenait l'idée de s'élever et elle s'approchait alors craintivement de nous, pour s'éloigner aussitôt.

La lumière se retirait d'un peu partout dans le jardin. Sur la façade sombre du bâtiment, seules les fenêtres étincelaient, qui recevaient directement le soleil. "Quelqu'un, quelque part de l'autre côté de ces vitres, a disparu ; je suis là en train de caresser le dos du directeur ; mon cousin est bloqué dans une gare à cause d'un inconnu qui s'est jeté sur la voie." J'essayais d'ordonner toutes ces choses à l'intérieur de moi. Elles semblaient être absorbées pêle-mêle dans l'éblouissement de ces vitres alors qu'il n'existait aucun rapport entre elles.

Respirant avec un peu plus de facilité, le directeur me dit :

"Si cela ne vous dérange pas, accepteriez-vous de venir visiter sa chambre avec moi ?"

Je ne savais quoi répondre à cette étrange requête.

"Je vais y jeter un coup d'œil de temps à autre. J'espère toujours y trouver un indice qui me mettra sur la voie. Peut-être que quelqu'un comme vous venant pour la première fois pourrait faire une découverte intéressante."

Il avait encore un peu de peine à respirer. Je lui dis que je voulais bien.

Mais je ne lui fus d'aucune utilité pour trouver quelque chose dans cette chambre.

C'était une pièce banale, avec bureau, chaise, lit et penderie. Elle n'était pas particulièrement bien rangée, mais elle n'était ni sale, ni en désordre. Il restait des traces montrant que quelqu'un avait vécu là. Les draps du lit étaient froissés, un sweater était abandonné sur le dossier de la chaise, et sur le bureau s'étalait un cahier couvert de chiffres et de symboles mathématiques. C'était comme si l'étudiant qui y avait vécu s'était levé en plein milieu de son travail pour aller acheter une paire de chaussures dans le quartier.

Sur les rayons de sa bibliothèque se mélangeaient les ouvrages spécialisés sur les mathématiques, les romans policiers et les guides de voyages. Le calendrier accroché au mur en était resté au mois de février et il était annoté. La date de remise du mémoire de logique y était inscrite, ainsi que celle de séminaires ou de réunions, de cours particuliers, et du quatorze au vingt-trois, une flèche indiquait le ski.

"Qu'en pensez-vous ?" me demanda le directeur, en jetant un coup d'œil autour de la pièce.

"Excusez-moi, mais la seule chose que je comprenne est que c'était un étudiant équilibré", lui répondis-je en baissant la tête.

"Laissez, ce n'est pas grave", me dit-il.

Pendant un temps assez long, nous restâmes sans rien dire, immobiles au milieu de la pièce. Comme si nous étions persuadés qu'en faisant ainsi son corps finirait par apparaître devant nous.

"Il a disparu la veille du jour où il devait partir à la montagne, le treize, expliqua enfin le directeur. Il se faisait une joie d'y aller. Il venait de commencer le ski, et il en était sans doute au point où ça devient soudain très amusant. Quand je lui ai dit que moi aussi j'aimais le ski, il m'a demandé quel genre de chaussure je mettais au pied gauche, comment je tenais les bâtons, et il m'a écouté avec beaucoup d'attention. Il avait un côté naïf et plein d'enthousiasme qui était très attachant."

Je posai mon index sur le calendrier à l'endroit du treize. C'était rugueux et froid. Les skis, enveloppés dans leur housse, étaient appuyés contre la bibliothèque. Le billet de l'autocar de nuit dépassait de la poche du *Boston bag*.

"Son signe particulier se trouvait dans les doigts de la main gauche", dit-il, le regard perdu comme s'il avait voulu retenir une image encore présente.

"Comment cela, les doigts de sa main gauche ?

— Oui. Il était gaucher. Il faisait tout de la main gauche. Se coiffer, frotter ses yeux quand il était fatigué, composer les numéros de téléphone, tout. Il m'invitait souvent à venir dans sa chambre prendre un café. Il le faisait très bon. Et nous avions l'habitude de nous asseoir l'un à côté de l'autre à ce bureau."

Le directeur s'assit alors sur la chaise pivotante qui faisait face au bureau. Sa jambe artificielle émit un grincement sonore.

"C'est là qu'il me montrait comment résoudre certains problèmes mathématiques. Pas des problèmes spécialisés. Non, mais ceux qui intéressent la vie quotidienne, comme la raison pour laquelle un volcan aussi grand que le Fuji se reflète dans un espace aussi petit que celui de l'œil, ou comment faire pour déplacer la cloche d'un temple avec uniquement le petit doigt. Je ne savais même pas pourquoi on résout ce genre de problèmes par les mathématiques."

Je hochai la tête dans son dos.

“Il avait l’habitude de dire : «En raisonnant de cette manière, c’est très facile.» Et je pouvais lui poser n’importe quelle question stupide de débutant, il n’en était pas agacé, au contraire, il était très heureux de me répondre. Un crayon H bien taillé calé dans la main gauche, il alignait toutes sortes de chiffres et de symboles en ajoutant des explications telles que : «Dans ce cas, on utilise cette formule.» Il avait une écriture appliquée, bien ronde et très lisible. Et à la fin une réponse simple faisait soudain son apparition comme par enchantement. Alors, il la soulignait deux fois et me regardait de ses yeux bienveillants comme pour me dire : «C’est amusant, n’est-ce pas ?»”

Le directeur inspira profondément et reprit après avoir expiré :

“Quand je le voyais tenir son crayon dans la main gauche, j’avais l’impression qu’il tissait plus qu’il n’écrivait des chiffres. Les symboles tels que ∞, $\therefore$ ou ∂ m’apparaissaient comme des objets d’art nés des magnifiques doigts de sa main gauche. Ces chiffres que j’avais pourtant l’habitude de voir revêtaient pour moi une importance insoupçonnée. Je buvais son café, écoutais ses explications, les yeux rivés sur les doigts merveilleux de sa main gauche. Ils étaient affairés, ils étaient heureux. Ses mains n’étaient pas vraiment masculines. Les doigts étaient longs et souples, la peau blanche et opaque. Ses doigts étaient comme des plantes qui auraient été soigneusement élevées dans des serres et améliorées à plusieurs reprises. Ils étaient expressifs en divers endroits. L'ongle de son annulaire souriait, la jointure de son pouce fronçait les sourcils, vous me comprenez, n'est-ce pas ?"

La voix du directeur était tellement passionnée que je lui répondis : "Oui."

J'observai à nouveau les choses qu'il avait laissées. Je regardai le compas, les trombones ou le taille-crayon que ses doigts souples comme des lianes avaient sans doute pris, caressés, tenus. Le cahier posé sur son bureau était un produit de bonne qualité, bien utilisé. "Les draps ne seront-ils donc jamais défroissés, le sweater jamais rangé dans un tiroir, les problèmes de mathématiques jamais entièrement résolus ?" pensai-je.

Le directeur se remit à tousser. En le voyant ainsi, effondré sur le bureau, je crus qu'il sanglotait. Cette petite toux se répercuta à l'infini dans la chambre.

Le jour suivant, je me rendis à la bibliothèque pour me renseigner sur cette affaire de disparition. Situé dans un coin du jardin public, le bâtiment n'était pas très grand et servait surtout aux enfants qui venaient y emprunter des livres d'images ou des *kamishibai* *.

J'y demandai à consulter tous les journaux à partir du quatorze février et examinai un à un les articles des éditions locales. Empilés, cela faisait un tas assez conséquent, lourd.

* Théâtre d'images pour les enfants. *(N.d.T.)*

Il y avait des affaires en tout genre. Une femme s'était intoxiquée en repeignant sa salle de bains ; un écolier s'était retrouvé enfermé dans un réfrigérateur abandonné sur une décharge ; on avait arrêté un escroc au mariage de soixante-sept ans ; une vieille femme avait dû être hospitalisée pour avoir mangé un champignon hallucinogène. Le monde semblait connaître des difficultés dont je n'avais jamais soupçonné l'existence. L'affaire la plus cruelle m'apparaissait comme un simple conte de fées. Ce qui m'importait alors, c'était l'étudiant et les doigts de sa main gauche.

La pile de journaux ne diminuait pas. J'avançais dans ma lecture mais je ne trouvais rien concernant le gaucher. Mes mains étaient noircies par l'encre, mes yeux me picotaient. Il y avait des intoxications, des disparitions et des escroqueries en pagaille, mais rien qui fût susceptible de m'orienter vers ce que je cherchais. Je sentais à la densité de la lumière qui pénétrait par la fenêtre que le jour était en train de décliner.

Au bout d'un certain temps, alors que mes idées commençaient à s'embrouiller, un homme qui portait un trousseau de clefs apparut devant moi.

"C'est bientôt l'heure de la fermeture", me dit-il d'un air contrit.

"Excusez-moi."

Je réunis précipitamment les journaux pour les lui rendre. Dehors il faisait noir.

En rentrant à la maison, je trouvai une lettre de mon mari. A la vue de son enveloppe d'un jaune éclatant, de son timbre représentant une femme de race blanche et de son tampon avec des lettres de l'alphabet, on comprenait tout de suite qu'elle venait de loin. Elle attendait tranquillement dans le fond de la boîte aux lettres.

C'était une longue lettre. Il me décrivait en détail la petite ville de Suède du bord de mer où il était en mission, ainsi que la grande maison où nous allions vivre tous les deux. Il parlait de la fraîcheur des légumes qu'il achetait au marché le samedi matin, du pain délicieux du boulanger de la place de la gare, de la mer qu'on apercevait de la chambre et qui était toujours démontée, et des écureuils qui venaient s'ébattre dans le jardin. Tel en était le contenu. Et sur la dernière page, il avait répertorié tout ce que je devais faire avant mon départ.

"– Renouveler ton passeport.
– Demander le devis aux déménageurs.
– Faire le changement d'adresse à la poste.
– Rendre visite au domicile du directeur.
– Faire du jogging tous les jours. (Il faut que tu sois en forme. Ici il fait froid et humide.)"

Je lus et relus la lettre plusieurs fois. Je revenais sur ce que j'avais lu, relisais dix fois de suite la même ligne, et quand j'arrivai à la fin, ce fut pour revenir au début. Mais je ne comprenais pas ce que cela voulait dire. Le marché, les écureuils, le passeport, le déménagement, tous ces mots me semblaient appartenir à un vocabulaire philosophique incompréhensible. Les chiffres inscrits sur le cahier de l'étudiant me semblaient bien plus réels. Sur ce cahier se reflétaient la vapeur du café, les doigts de sa main gauche et le regard du directeur qui l'observait.

La Suède contenue dans cette enveloppe jaune et le directeur qui toussait tristement dans une des pièces de la résidence universitaire étaient deux choses qui n'allaient pas ensemble et qui se télescopaient. Je ne pus faire autrement que de glisser l'enveloppe dans le fond d'un tiroir.

Une dizaine de jours plus tard, j'allai rendre visite au directeur. Cette fois-ci j'achetai des crèmes au caramel. Mon cousin était quelque part en montagne pour un stage d'entraînement de handball.

Il pleuvait, ce qui n'était pas arrivé depuis longtemps. Le directeur était au lit, mais il se redressa avec beaucoup de sérieux quand je vins m'asseoir à son chevet. Je posai la boîte de crèmes au caramel sur sa table de nuit.

Sur son lit, le directeur semblait encore plus décharné. Les espaces vacants de ses deux bras et de sa jambe auxquels je ne faisais pas attention en temps normal firent naître en moi un pesant sentiment de manque. Ces vides retenaient mon regard indéfiniment. A force de les observer, j'éprouvais une douleur sourde au fond des yeux.

"Comment allez-vous ?

— Comme vous voyez."

Nous échangeâmes un sourire. Celui du directeur disparut à peine esquissé.

"Vous êtes allé à l'hôpital ?" lui demandai-je, et il secoua la tête.

“Je vous ennuie peut-être, mais je crois que vous feriez mieux de vous faire examiner par un médecin. Vous aviez l’air si mal en point l’autre jour.

— Mais non, vous ne m’ennuyez pas”, me dit-il en secouant plusieurs fois la tête.

“Le mari d’une de mes amies est professeur dans un hôpital universitaire. Il est dermatologue, mais il pourra certainement vous indiquer un spécialiste. Bien sûr, je peux vous accompagner.

— Je vous remercie. Cela me fait plaisir que vous vous inquiétiez pour moi. Mais ne vous en faites pas. Je connais mon corps mieux que personne. Je vous ai déjà dit, n’est-ce pas, ma passion pour le corps en tant qu’organisme ?

— Vous êtes vraiment sûr que ça ira ? Vous allez vous remettre rapidement ?” insistai-je.

“Bien au contraire, c’est inguérissable.”

Le directeur avait laissé tomber ces mots d’une manière si cruelle et si définitive que sur le coup je n’en saisis pas la véritable signification.

“Cela ne peut aller qu’en empirant. Il n’y a rien à faire, c’est comme pour le cancer ou la dystrophie musculaire progressive. D’ailleurs, dans mon cas, c’est peut-être encore plus simple. J’ai vécu pendant tant d’années d’une façon si peu naturelle que ce n’est pas étonnant si mon corps en subit les conséquences. C’est un peu comme une mandarine abîmée qui fait pourrir toutes les autres dans un carton. Ce qui est sûr, c’est que mes os sont en train de se déformer. Plusieurs de mes côtes les plus importantes sont en train de dévier et font pression sur les poumons et le cœur."

Le directeur venait de parler doucement comme pour apaiser la source des crises nichée au fond de sa poitrine. Incapable de trouver les mots qu'il aurait fallu dire, je me retrouvais les yeux fixés sur les gouttes de pluie qui coulaient le long de la vitre.

"Je ne suis allé à l'hôpital qu'une seule fois. Il se trouve qu'un des anciens de cette résidence est orthopédiste. Il m'a montré les radios qu'il avait prises. Vous est-il arrivé de voir celles de votre poitrine ? En temps normal, les côtes sont placées d'une manière parfaitement symétrique, et les poumons et le cœur sont à l'aise au milieu de la cage thoracique. Mais les miennes, elles, étaient dans un état effroyable. Complètement tordues, comme les branches d'un arbre sur lequel la foudre serait tombée. En plus, c'est dans la région du cœur qu'elles avaient subi la plus grande distorsion. On aurait dit qu'elles s'apprêtaient à le transpercer. Mon cœur et mes poumons étaient recroquevillés sur eux-mêmes comme des petits animaux tremblant de frayeur."

Le directeur inspira profondément pour reprendre sa respiration. Sa gorge émit un son rauque. Dès qu'il se taisait, le calme revenait s'installer entre nous. Je comptais les gouttes de pluie sur la vitre. Elles venaient s'écraser sans relâche les unes après les autres.

"N'est-il pas possible de stopper la déformation de vos côtes ?" lui demandai-je en quittant la fenêtre des yeux après avoir compté jusqu'à cinquante.

“C’est trop tard, me répondit-il sans hésitation. C’est tout juste si en restant couché sur le dos je peux gagner un peu de temps. Mais rien de plus.

— On ne peut pas envisager une opération ?

— Une opération ne me rendra ni mes bras ni ma jambe. Dans la mesure où je vis avec mon menton, ma clavicule et la jambe qui me reste, mes côtes continueront à se déformer.

— Il n’y a vraiment rien à faire ?” lui dis-je enfin après avoir soigneusement pesé mes mots. Au lieu de me répondre, le directeur battit tranquillement des paupières, les cils frémissants.

La pluie continuait, monotone. Elle tombait d’une manière si ténue que je me demandais parfois si elle n’avait pas cessé. Mais en regardant bien, je voyais qu’il pleuvait toujours.

Dans le massif fleurissaient des tulipes de couleur parme. Ces fleurs, qui à chaque fois que je les regardais étaient d’une couleur différente, fleurissaient en rangs les unes après les autres. Les pétales mouillés brillaient comme du rouge à lèvres. Et comme d’habitude, une abeille volait dans le massif. “Les abeilles volent aussi les jours de pluie ?” me demandai-je subitement. Car jusqu’alors je n’en avais jamais vu quand il pleuvait. Mais c’en était bien une.

Les abeilles volaient librement au milieu du paysage dilué par la pluie. Elles s’élevaient très haut, disparaissant ainsi de mon champ de vision, se dissimulaient près du sol, entre les herbes, et comme elles ne restaient pas en place, je n’arrivais pas à les compter pour connaître leur nombre exact. Seuls se reflétaient très nettement sur la vitre le contour, la couleur et le mouvement de chaque insecte. Je pouvais même voir les délicats motifs des ailes si transparentes qu'elles semblaient sur le point de se liquéfier.

Les abeilles, hésitantes, finissaient par se rapprocher des tulipes. Puis, quand elles étaient enfin décidées, elles venaient se poser sur la partie la plus fine de la bordure des pétales, les rayures de leur abdomen toutes palpitantes. Alors, se fondant dans les gouttes de pluie, leurs ailes paraissaient lumineuses.

Le calme était si intense que j'eus bientôt l'impression d'entendre le vrombissement de leurs ailes. Le bruit, au début recouvert par la pluie, épousa des contours de plus en plus nets au fur et à mesure que je concentrais mon regard sur les insectes, puis me devint perceptible. Si je restais immobile, le bruit des ailes s'infiltrait comme un liquide jusque dans les minuscules conduits de mon oreille interne.

Une abeille entra soudain dans la pièce par un interstice de la fenêtre d'aération. Elle fila droit vers le plafond pour s'arrêter sur la tache ronde qui se trouvait dans le coin. Celle-ci était encore plus grande et plus foncée que la dernière fois. Sur le plafond blanc, elle s'était étendue à un tel point qu'il n'était plus possible de l'ignorer. L'abeille mouillée par la pluie s'était posée en plein milieu.

Je m'apprêtais à poser la question : "C'est quoi cette tache ?"

Mais le directeur prit la parole en premier :

"Je voudrais vous demander quelque chose."

Le bruit d'ailes s'éloigna.

"Vous pouvez me demander tout ce que vous voulez", lui répondis-je en posant mes deux mains sur le lit, à l'endroit précis où aurait dû se trouver sa main droite.

"Pourriez-vous m'aider à prendre mes médicaments ?

— Mais oui, bien sûr."

Je pris un petit sachet de poudre dans le tiroir de sa table, et versai un peu d'eau de la carafe dans son verre. Tous ces objets de la vie quotidienne avaient commencé une curieuse transhumance vers l'endroit le plus pratique pour être utilisés du lit. Le téléphone s'était déplacé de l'entrée jusqu'au chevet du lit, la boîte de mouchoirs en papier du dessus de la télévision à ses pieds, et le plateau pour le thé de la cuisine à sa table de nuit. Cette discrète migration était le reflet d'une évolution importante pour le directeur, à savoir que son cœur était de plus en plus menacé par la déformation de ses côtes. Lorsque, les yeux fixés sur le filet d'eau qui se déversait de la carafe, je réalisai soudain la situation, ma poitrine se glaça et je ne pus m'empêcher de trembler.

"J'espère que ce médicament va être efficace", lui dis-je, plus pour me persuader que par conviction.

“Ce médicament aide à me détendre les muscles et à me calmer les nerfs. C’est mieux que rien.”

Son expression n’avait pas changé.

“Vous êtes sûr qu’il ne peut rien faire de plus ?”

J’insistais. Après avoir réfléchi un instant, le directeur me dit :

“Je vous en ai déjà parlé, n’est-ce pas ? La résidence est engagée dans un processus de déstructuration irrémédiable. Le changement est en marche. Il nécessite un certain temps. Ce n’est pas comme s’il suffisait de tourner un bouton. L’atmosphère de cette résidence est en train de se déliter rapidement. Vous ne vous en rendez certainement pas compte. Seuls ceux qui sont entraînés dans ce processus le ressentent. Où allons-nous ? Quand on s’en aperçoit, on est déjà trop loin. Il n’est plus possible de revenir en arrière.”

Après avoir fini de parler, le directeur ouvrit la bouche avec retenue. Elle était minuscule. Je croyais que celle des hommes était beaucoup plus solide et imposante, mais chez lui, les lèvres, la langue et les dents formaient un ensemble petit et bien ordonné. Derrière les lèvres souples s’alignait une rangée de dents comme des graines de taille identique, et sa langue était ramassée à l’entrée de sa gorge.

Je laissai tomber la poudre avec précaution à l’intérieur de sa bouche. Puis, tenant le verre entre son menton et sa clavicule, le directeur but son eau à la perfection. Tout en observant son geste élégant, je pensais à ses côtes douloureuses. J’imaginais la radiographie qui représentait des os blancs et opaques s'apprêtant à transpercer le cœur.

Ma poitrine toujours glacée vibrait encore comme les ailes des abeilles.

Il arriva un autre pli par avion, envoyé par mon mari.

"Où en es-tu de tes préparatifs ? Je m'inquiète de ne pas recevoir de réponse."

La lettre commençait par ces mots aimables et continuait en décrivant d'une manière encore plus détaillée et enthousiaste que la fois précédente les supermarchés, les plantes, les musées, et l'état des routes en Suède. Pour finir, il m'avait encore préparé une liste des choses que je devais faire :

"– Prévenir les sociétés du téléphone, du gaz, de l'électricité et de l'eau.
– Faire une demande d'obtention de permis de conduire international.
– S'occuper des impôts.
– Retenir les containers.
– Acheter le plus possible de nourriture japonaise lyophilisée ou sous vide. (Je commence à me lasser des repas sans nuances et trop salés d'ici.)"

En comptant celles de la lettre précédente, j'avais en tout dix choses à régler. Je relus la liste à haute voix pour essayer d'y mettre un peu d'ordre. Mais cela ne me servit à rien. Je ne savais ni comment les arranger, ni par où commencer pour aboutir à la Suède.

Je rangeai les lettres dans le tiroir et, à la place, sortis mon patchwork. Je n'avais pas besoin de dessus-de-lit ni de tenture murale, mais je n'avais aucune idée de ce que j'aurais pu faire d'autre.

Après un morceau à rayures bleues et un à pois noirs et blancs, j'en mis un rouge uni à côté, puis un vert à motifs d'arabesques en diagonale en haut et à droite. Un carré, un rectangle, un triangle isocèle, un triangle rectangle. Le patchwork pouvait s'étendre à l'infini. La soirée était calme, j'étais seule à assembler des morceaux de tissu, et il me semblait percevoir un vrombissement d'ailes. Je n'arrivais pas à savoir s'il s'agissait d'un reliquat de ce que j'avais entendu dans la pièce du directeur ou d'un simple bourdonnement d'oreilles. Mais il avait beau être faible, presque imperceptible, il venait directement heurter mon tympan, sans dévier d'un pouce.

Le bruit d'ailes me menait aux abeilles, puis aux tulipes, aux vitres sur lesquelles dégoulinaient des gouttes de pluie, à la tache du plafond et au médicament en poudre, pour arriver enfin aux côtes du directeur. J'étais si loin de la Suède !

Et chaque jour je me rendis à la résidence jouer les gardes-malades, emportant à chaque fois des cadeaux différents : madeleines, biscuits, bavarois, chocolats, yaourts aux fruits, *cheese-cake*... A la fin, je ne savais plus quoi lui offrir. Les tulipes fleurissaient rangées après rangées, les abeilles voletaient, et la tache du plafond s'élargissait irrémédiablement. Quant au directeur, il déclinait à vue d'œil. Il commença par avoir du mal à sortir faire ses courses, et bientôt n'arriva plus à préparer ses repas. Le jour suivant, il lui fut difficile de manger seul, puis boire un verre d'eau devint une entreprise périlleuse, et il en arriva à ne plus pouvoir se redresser dans son lit qu'avec beaucoup de difficulté.

Pour une garde-malade, je ne faisais rien de particulier. Je lui préparais parfois une soupe légère que je lui faisais boire, ou lui frottais doucement le dos, mais c'était tout, et le reste du temps, je le passais assise sur une chaise près de son lit. Je n'avais rien d'autre à faire qu'à observer, impuissante, la lente et inexorable progression de la courbure des côtes qui s'effectuait en grinçant.

C'était la première fois que j'avais le rôle de garde-malade et surtout que je voyais un être humain se déliter aussi rapidement sous mes yeux. Je me demandais effrayée comment, à ce rythme, tout cela allait se terminer pour le directeur. Je me sentais triste et solitaire en imaginant l'instant ultime où les côtes transperceraient le cœur, le poids de son corps abandonné une fois retirée la prothèse de sa jambe gauche, ou encore le calme profond, si profond, qui s'installerait dans la résidence après son départ. L'unique personne sur qui je pouvais compter, c'était mon cousin. Je priais pour qu'il revienne le plus tôt possible de son stage de handball.

Ce jour-là, la pluie se mit à tomber en début de soirée. J'étais en train de faire manger au directeur le quatre-quarts que je lui avais apporté en cadeau. Il était allongé sur son lit, la couverture remontée jusqu'au menton, le regard perdu dans le vague. Il semblait avoir du mal à respirer et la couverture s'élevait puis s'abaissait par à-coups. J'approchais un morceau de gâteau que je tenais fermement entre le pouce et l'index, et il entrouvrait la bouche. Puis il tenait ses lèvres serrées sans mâcher en attendant qu'il fonde. A peine avais-je réalisé que mes doigts venaient d'effleurer ses lèvres que je les éloignais aussitôt, et après plusieurs allers et retours de cette manière, la tranche de quatre-quarts avait disparu. Le bout de mes doigts était luisant de beurre.

"Je vous remercie. C'était délicieux", me dit-il, gardant la douceur du sucre sur ses lèvres.

"Je vous en prie", lui répondis-je en souriant.

"C'est bien plus agréable et bien meilleur quand quelqu'un vous fait manger, vous savez."

Le directeur était toujours allongé sur le dos, immobile. On aurait dit que son corps était cloué sur le lit.

"Je vous en apporterai d'autres.

— Oui, si on a le temps."

Il avait prononcé ces derniers mots dans un soupir. Ne sachant quoi lui répondre, je me contentai de contempler les traces de beurre à l'extrémité de mes doigts en feignant de ne pas avoir entendu.

Un moment plus tard, je me rendis compte qu'il pleuvait. Les tulipes du massif oscillaient, les ailes des abeilles étaient mouillées. Ce jour-là, les tulipes étaient bleu foncé. Un bleu soutenu, comme si on avait versé dessus une bouteille d'encre.

"Quelle drôle de couleur pour des tulipes", murmurai-je.

"Je les ai plantées avec l'étudiant disparu, commença-t-il. Il est rentré un soir, un sac plein de bulbes à la main. Ils étaient minuscules, comme des graines, car il les avait récupérés dans les déchets abandonnés derrière la boutique d'un fleuriste. J'ai pensé alors que beaucoup ne fleuriraient sans doute pas. Et regardez comme elles se sont épanouies les unes après les autres…"

Seul son regard s'était déplacé vers la fenêtre.

"Mais je suis sûr qu'il savait qu'elles fleuriraient. Il a sorti une vieille table à l'ombre dans la cour et a posé les bulbes dessus. Il les a ensuite comptés et triés par couleurs, en réfléchissant à la manière de les planter pour qu'ils trouvent leur place dans le massif. La réponse lui est venue instantanément, et elle était exacte. Il était vraiment doué pour ce genre de calcul. Je suppose que c'était facile pour un étudiant en mathématiques, mais je fus vraiment surpris. Il y en avait de diverses couleurs en nombres variés, et il a réussi à les faire toutes tenir dans le massif rectangulaire sans qu'il y en ait une en trop."

L'obscurité avançait tranquillement vers le centre de la pièce. La boîte de quatre-quarts que j'avais posée sur la table de la cuisine s'enfonçait peu à peu dans la pénombre. Le directeur fixait à nouveau l'espace droit devant lui et parlait avec recueillement comme s'il ne se rendait absolument pas compte des signes d'approbation ni des paroles d'encouragement que je lui glissais à intervalles réguliers.

"Après avoir laissé sécher les bulbes au soleil pendant un certain temps, nous les avons plantés dans le massif. Celui-ci était resté si longtemps à l'abandon que la terre en était devenue toute dure. Il l'a retournée avec soin, en arrosant de temps en temps. Il se servait d'une petite pelle comme en ont les enfants pour jouer sur les tas de sable. Il n'y avait rien d'autre dans la résidence. Tout ce travail, bien sûr, il l'a fait de la main gauche. Et la terre s'est gonflée à vue d'œil."

Je renonçai à mes signes d'approbation pour me concentrer sur ce que j'entendais.

"Et bientôt vint le moment de la plantation. Il creusa des trous d'une profondeur de cinq centimètres aux intervalles qu'il avait calculés, puis me tendit la paume de sa main gauche sur laquelle se trouvaient les bulbes. Il souriait tranquillement, son regard alternativement posé sur les bulbes et sur moi. Je lui fis un petit signe d'assentiment avant de les pousser du bout du menton pour les faire tomber. Pleine de terre, sa main gauche était d'une beauté irrésistible, comme lorsqu'elle tenait le crayon H pour tracer des chiffres. Chaque grain de terre qui s'était collé à sa paume trempée de sueur brillait dans les rayons du soleil. Ses doigts gardaient la marque imprimée en rouge de la poignée de la pelle. Les bulbes étaient dans le creux de sa main. C'est à l'instant où j'approchais mon menton que la douleur était la plus insupportable. Les contours de ses empreintes digitales, les vaisseaux légèrement transparents, la chaleur de la peau en feu, son odeur, tout m'oppressait. Evitant le plus possible de montrer ce que je ressentais, je poussais un bulbe du menton en retenant ma respiration. C'est ainsi que je les fis tomber."

Le directeur s'interrompit, fixa un moment un point dans l'espace sans sourciller, puis soupira. Ensuite il ajouta : "Excusez-moi, mais je vais me reposer un peu", avant de fermer les yeux.

L'obscurité avançait inexorablement. Seule la blancheur des draps du lit luisait faiblement entre nous deux. La pluie, chargée elle aussi d'obscurité, continuait à tomber.

Sa respiration devint tout de suite régulière. Un doux sommeil, presque innocent, était venu le visiter. Je portai mon regard d'une chose à l'autre, dans l'ordre, sur la pendule accrochée au mur, les coussins, le porte-revues, le pot à crayons, pour laisser à mes yeux le temps de s'habituer à la nuit. Tout était calme, écrasé par la torpeur.

Au milieu de ce silence, quelque chose fit soudain vibrer mon tympan. Je sus tout de suite que c'étaient les abeilles. La vibration était régulière et occupait une même longueur d'onde. Si je me concentrais uniquement sur le fond de mon oreille, je pouvais entendre à coup sûr le bruit résultant du froissement des ailes. Il stagnait tout au fond, là où il ne pouvait pas se mêler au bruit de la pluie. Il était le seul à vivre à l'intérieur de moi. Je percevais ce bruit plat et infini comme la propre musique de la résidence. A l'extérieur de la fenêtre, abeilles et tulipes se confondaient dans la nuit.

A ce moment-là, une goutte s'écrasa à mes pieds. Comme elle était tombée lentement devant mes yeux, j'avais eu le temps de me rendre compte, même dans la pénombre, de l'épaisseur du liquide. Je levai mon regard vers le plafond. La tache ronde avait à mon insu pris la forme d'une amibe qui s'étendait maintenant au-dessus de ma tête. Elle avait atteint une taille effrayante. Non seulement en surface, car elle avait maintenant un certain relief. Les gouttes en tombaient du milieu, à un rythme assez lent.

"Qu'est-ce que cela peut bien être ?" murmurai-je. Le liquide était sans aucun doute plus lourd que la pluie. Bien plus épais et gluant. Une fois tombé, il était difficilement absorbé et restait indéfiniment collé aux poils du tapis.

"Monsieur le directeur", appelai-je à mi-voix, mais il dormait toujours et ne se rendait compte de rien. Pendant ce temps le vrombissement continuait.

Je tendis craintivement la main sous les gouttes. La première effleura l'extrémité de mon doigt du milieu. Je me risquai alors à étendre le bras et la deuxième tomba dans le creux de ma paume.

Je n'eus aucune sensation de chaud ni de froid. C'était seulement visqueux. Je m'étais raidie, et, la paume toujours tendue, je me demandais si je devais l'essuyer avec mon mouchoir ou refermer la main. Les gouttes continuaient de tomber en produisant un son mat.

"Mais qu'est-ce que ça peut bien être ?"

Je réfléchissais de toutes mes forces. Le directeur s'était endormi, mon cousin était parti en stage d'entraînement, et l'étudiant en mathématiques avait disparu. Je me retrouvais vraiment toute seule.

"Où est donc passée sa belle main gauche qui a résolu tant de problèmes mathématiques au crayon H, qui a manié la pelle pour planter les bulbes des tulipes ?"

Ploc.

"Pourquoi les tulipes fleurissent-elles d'une couleur si étrange ?"

Ploc.

"Pourquoi est-ce que je n'arrive jamais à voir mon cousin ?"

Ploc.

Mes questions tombaient l'une après l'autre, en même temps que les gouttes.

"Pourquoi le directeur peut-il décrire si précisément les muscles, les articulations et les omoplates de mon cousin ?"

Je me sentais de plus en plus oppressée. Ma main, toujours tendue, s'engourdissait et s'alourdissait à vue d'œil. N'ayant d'autre endroit où aller, les gouttes s'accumulaient à l'intérieur de ma paume.

"C'est peut-être du sang ?" supposai-je tout haut. Gênée par le vrombissement d'ailes, je n'entendais pas très bien ma propre voix.

"Mais oui, c'est bien du sang. Ai-je déjà touché du sang aussi frais que celui-ci ? La seule fois où j'en ai vu en grande quantité jusqu'à présent, ce doit être quand cette jeune femme s'est fait écraser par une voiture sous mes yeux. J'avais dix ans, et je revenais de la patinoire. Les talons hauts, les bas déchirés et tout ce sang qui coulait sur le bitume. C'était si épais qu'il y avait du relief. Exactement comme ça."

Je secouai le directeur en l'appelant par son nom.

"Réveillez-vous !"

Il y avait du sang sur la couverture. Il en tomba sur le bout de mes pieds.

"Monsieur le directeur, réveillez-vous je vous en supplie !"

Son corps était une masse sombre que je secouais dans le lit. Sans sa jambe ni ses bras, il était tout léger et il me semblait que j'aurais pu le soulever très facilement. Je répétai son nom un nombre infini de fois. Mais il errait au fond d'un gouffre de sommeil où il m'était impossible de l'atteindre.

"Où est donc passé mon cousin ?"

Je revenais à la question qui me préoccupait le plus. J'avais une envie folle de le voir, lui qui souriait en baissant la tête comme dans un soupir et en posant le doigt sur la monture de ses lunettes.

L'idée s'imposa à moi que je devais partir au plus vite à sa recherche.

Je sortis à tâtons de la pièce pour me précipiter en courant dans l'escalier. Toutes les ampoules étaient en panne et l'obscurité s'était infiltrée jusque dans le moindre recoin de la résidence. Je courais en repoussant la nuit, sans faire attention à ma main ni à mes pieds souillés et visqueux. Mon cœur battait à tout rompre, j'étais essoufflée, et pourtant j'entendais toujours le même vrombissement tout au fond de mes oreilles.

La porte de sa chambre était fermée à clef. Je pris la poignée à deux mains et tournant, poussant, tirant, essayai par tous les moyens mais en vain de l'actionner quand même. La poignée ne tarda pas à devenir toute poisseuse.

Je courus alors vers la chambre de l'étudiant en mathématiques. Cette fois-ci, la porte s'ouvrit si facilement que j'en fus toute décontenancée. Rien n'avait changé depuis ma dernière visite. Les skis, le ticket d'autocar, le sweater abandonné et le cahier de mathématiques dormaient en attendant son retour. Je jetai par précaution un coup d'œil dans la penderie et sous le lit, mais sans succès. Mon cousin n'y était pas.

“Faudra-t-il vraiment que j'aille voir ce qu'il y a de l'autre côté du plafond d'où tombent les gouttes ?”

Cette pensée jaillit en un éclair de ma conscience comme si je venais de lire une ligne extraite d'un poème. Alors cette fois-ci je redescendis l'escalier très prudemment marche après marche, pris une lampe de poche dans le placard à chaussures de l'entrée et sortis.

Mes cheveux et mes vêtements se retrouvèrent complètement détrempés le temps de faire le tour du jardin. La pluie était fine, mais elle m'enveloppait comme une immense toile d'araignée. Elle était glacée.

Je rassemblai des caisses de bouteilles de bière qui gisaient abandonnées dans la cour, pour les empiler sous la fenêtre d'aération de la pièce du directeur. J'étais seule, trempée, chancelante, mais curieusement je n'avais pas peur. Je pensais que j'avais été entraînée dans un moment d'aberration qui ne durerait pas. Je me persuadais que ce n'était rien d'autre.

La grille était lourde et rouillée. Quand je la lâchai, elle alla s'enfoncer si pesamment dans le sol que les caisses en furent ébranlées. Je me raccrochai à la bouche d'aération. L'eau dégoulinait sur mes paupières, mes joues et le long de mon cou. En levant les yeux vers le ciel, je ne distinguais que de la pluie. J'allumai péniblement la torche car mes doigts étaient gelés, et dirigeai le faisceau lumineux vers le fond.

Il y avait un essaim.

Quand je le découvris, je ne compris pas tout de suite ce que c'était. Parce qu'il était couché sur la surface plane, qu'il avait atteint une taille phénoménale, et que je n'avais jamais eu l'occasion d'en voir de près auparavant. On aurait dit le fruit monstrueux d'une reproduction désordonnée. Il était recouvert de petites excroissances incrustées de fines lignes entrelacées. Devenu trop gros pour garder sa forme intacte, il commençait à se fendiller en plusieurs endroits.

Par ces craquelures coulait le miel. Il ruisselait tranquillement, épais comme du sang.

Je contemplais la scène, les oreilles bourdonnantes. Je pensai au directeur avec ses côtes déformées et qui avait plongé dans un sommeil profond, à l'étudiant qui avait disparu avec les magnifiques doigts de sa main gauche, à mon cousin qui marquait des buts grâce à la parfaite constitution de ses omoplates. Je tendis la main vers l'essaim en souhaitant ardemment les empêcher d'être aspirés dans le gouffre profond qui s'ouvrait quelque part en un point de la résidence. Et le miel continuait de couler, inlassablement, au-delà de mes doigts.

LA GROSSESSE

29 décembre (lundi)

Ma sœur aînée est partie à la clinique M.

Comme elle ne s'est pratiquement jamais fait suivre, excepté par le professeur Nikaido, elle était assez angoissée avant d'y aller. "Je ne sais pas du tout comment m'habiller" ou "Je me demande si j'arriverai à parler correctement devant un médecin que je vois pour la première fois" disait-elle, et elle a tellement traîné que le dernier jour de consultation de l'année a fini par arriver. Ce matin encore, elle a levé distraitement les yeux vers moi en disant :

— Je me demande, pour la courbe des températures, combien de mois je dois leur montrer, et elle n'en finissait pas de quitter la table du petit déjeuner.

— Tu n'as qu'à donner tout ce que tu as, lui ai-je répondu, mais elle a répliqué, d'une voix haut perchée, en tournant sa cuiller plongée dans une bouteille de yoghourt :

— Si je donne tout, il y en a deux pleines années, ça fait vingt-quatre feuilles, tu te rends compte ?

Là-dedans, il n'y a que quelques jours qui concernent ma grossesse, alors je crois que je ferais mieux de ne montrer que celle de ce mois-ci.

— Mais c'est dommage, puisque tu as pris ta température pendant deux ans.

— Ça me rend malade d'imaginer le médecin en train de feuilleter devant moi mes vingt-quatre courbes. J'aurais l'impression qu'il jette un regard indiscret sur ce qui s'est passé jusqu'à ma grossesse.

Elle a regardé le yoghourt resté au bout de sa cuiller. Une masse blanche, opaque, en est tombée en dégoulinant.

— Tu réfléchis trop. Les courbes de température ne sont que de simples données.

Tout en parlant, j'ai refermé le couvercle de la bouteille de yoghourt avant de la replacer au réfrigérateur.

Finalement, elle a pris la décision d'emporter toutes ses courbes. Mais cela n'a pas été très facile de retrouver les vingt-quatre feuilles.

Je ne sais pas pourquoi elle n'a pas rangé ses graphiques alors qu'elle a pris sa température avec tant de régularité. Ils auraient dû se trouver dans sa chambre, et je ne sais pas comment ils ont atterri dans le porte-revues ou sur le meuble du téléphone. Il m'est arrivé, au hasard de la vie quotidienne, de tomber sur une ligne en zigzag. En y réfléchissant, je m'aperçois que, finalement, c'est étrange de se dire, en feuilletant un journal ou en téléphonant : "Ah, voici le jour de son ovulation" ou : “Ce mois-ci, sa période de basse température a duré longtemps.”

Elle a cherché un peu partout dans la pièce et a fini par rassembler les vingt-quatre graphiques.

C’est une raison sentimentale qui l’a poussée à choisir la clinique M. Je lui ai pourtant conseillé de choisir un hôpital plus grand et mieux équipé, mais elle a refusé en disant :

— J’ai décidé quand j’étais petite que si j’avais un enfant j’accoucherais là.

La clinique M. est une petite maternité privée qui existe depuis l’époque de notre grand-père. Nous allions souvent jouer en cachette dans son jardin. C’est une vieille bâtisse en bois de deux étages qui, du côté de la façade, a un aspect mélancolique, dû à sa clôture moussue, à l’inscription à demi effacée de sa plaque et à ses vitres embuées, mais qui derrière est très lumineuse car le soleil entre à flots dans le jardin. Le contraste nous surprenait toujours.

Le jardin était occupé par une pelouse bien entretenue sur laquelle nous aimions nous rouler. Les extrémités vertes des brins d’herbe et le soleil étincelant entraient tour à tour dans notre champ de vision. La couleur verte et le scintillement se mélangeaient progressivement au fond de mes yeux jusqu’à devenir d’un bleu pur. Alors le ciel, le vent et la terre s’éloignaient soudain, et arrivait le moment où je me retrouvais flottant dans l’espace. J’aimais beaucoup cet instant.

Mais le jeu qui nous passionnait le plus consistait à observer ce qui se passait à l’intérieur de la clinique. Grimpées sur des cartons d'emballage de gaze ou de coton hydrophile abandonnés dans un coin du jardin, nous regardions par la fenêtre dans la salle d'examen.

— On va se faire gronder si on nous trouve.

J'étais plus peureuse que ma sœur.

— Ne t'en fais pas. Nous sommes encore des enfants, ils ne se fâcheront pas tant que ça, me répondait-elle le plus naturellement du monde, en essuyant avec la manche de son chemisier la buée que notre respiration avait laissée sur la vitre.

En approchant mon visage de la fenêtre, je sentais l'odeur de la peinture blanche. Cette odeur, qui prend légèrement à la gorge, est liée à la clinique M. et mon passage à l'âge adulte n'a pas fait disparaître cette impression. Quand je sens une odeur de peinture, je me souviens toujours de la clinique M.

La salle d'examen, avant le début des consultations de l'après-midi, était déserte, et nous pouvions la contempler à loisir.

Toutes sortes de flacons, sur un plateau ovale, attiraient particulièrement mon attention. J'avais une irrésistible envie de les ouvrir, en tirant sur le bouchon de verre simplement enfoncé dans le goulot sans qu'il n'y eût ni capsule ni vis. Ils portaient des traces de marron, de violet ou de rouge sombre, suivant la couleur du liquide dont ils étaient remplis. Quand les rayons du soleil les atteignaient, ce liquide se mettait à trembloter mystérieusement en transparence.

Sur le bureau du médecin étaient négligemment posés un stéthoscope, des brucelles et un sphygmomanomètre. Les tubes fins et sinueux, l'éclair aigu du métal, la poire en caoutchouc faisaient ressembler ce dernier à un insecte bizarre. Les lettres de l'alphabet qui se suivaient, formant des mots inintelligibles sur les fiches médicales des patientes, frémissaient d'une beauté secrète.

A côté du bureau se trouvait un lit sobre et nu. Il était recouvert d'un drap raide, usé par des lavages répétés, et un oreiller carré était posé en son milieu. Je me demandais quel effet cela faisait de poser sa tête sur un oreiller d'une telle forme, et qui semblait si dur.

Au mur était collée une photographie intitulée : "Position pour redresser un enfant qui se présente par le siège." Une femme en collant noir y était pliée en deux, la poitrine collée au sol. Son collant lui moulait tellement les jambes que j'avais l'impression qu'elle était nue. Elle regardait vaguement au loin dans le poster jauni.

La sonnerie d'une école qui retentissait quelque part dans les environs nous indiquait que c'était bientôt l'heure du début des consultations de l'après-midi. Nous devions renoncer en entendant le bruit de pas des infirmières qui arrivaient dans le couloir après le déjeuner.

— Dis, tu sais ce qu'il y a au premier et au deuxième étage ? ai-je demandé un jour à ma sœur, et elle m'a répondu sans hésiter :

— Les chambres des femmes et des bébés, et la salle à manger.

Des silhouettes apparaissaient de temps en temps aux fenêtres du premier étage. Il s'agissait sans doute de femmes qui venaient d'accoucher. Aucune d'elles n'était maquillée, elles étaient vêtues d'une lourde robe de chambre, et leurs cheveux étaient rassemblés en queue de cheval. Des mèches volaient doucement autour de leurs oreilles. En général, leur visage était sans expression, et elles avaient le regard perdu dans le vague.

Je me demandais pourquoi elles n'avaient pas l'air heureux, alors qu'elles avaient la possibilité de dormir au-dessus de la salle d'examen remplie de choses aussi fascinantes.

Puisque ma sœur aînée dit vouloir absolument se faire examiner à la clinique M., c'est sans doute que l'impression qu'elle en a gardée de son enfance l'a marquée. Je me demande si elle va elle aussi se retrouver en robe de chambre, les cheveux attachés, les joues pâles, en train de fixer la pelouse par une fenêtre du deuxième étage ?

Du moment que je cède, il n'y a plus personne pour s'opposer à elle. Mon beau-frère a comme d'habitude émis un avis anodin en disant que la proximité de la clinique lui permettrait de s'y rendre à pied.

Elle est rentrée avant midi. Je m'apprêtais à partir travailler et je me suis retrouvée avec elle dans l'entrée.

— Alors ?

— Deux mois. Exactement six semaines.

— Quelle précision !

— Grâce à mes graphiques.

Et elle s'est dirigée vers le fond de la maison en enlevant son manteau. Elle ne m'a pas paru particulièrement émue.

Il ne m'est rien resté de frappant de cet échange, aussi banal qu'un autre du genre :

— Qu'est-ce qu'il y a pour dîner ?

— De la bouillabaisse.

— Ah oui ?

— Les calamars et les palourdes n'étaient pas chers.

C'est pour cette raison que j'ai oublié de la féliciter.

Mais au fait, doit-on se féliciter de la naissance d'un enfant entre ma sœur et mon beau-frère ? J'ai cherché le mot "félicitations" dans le dictionnaire… J'y ai trouvé la définition suivante : "Compliment pour fêter un événement heureux."

"Cela n'a aucune signification en soi", ai-je murmuré en suivant avec le doigt la ligne de caractères qui ne présageaient absolument rien d'heureux.

30 décembre (mardi) 6 semaines + 1 jour

Depuis que je suis enfant, je n'ai jamais réussi à aimer cette journée du 30 décembre. Je pouvais vivre celle du 31 comme la dernière de l'année, mais l'avant-dernière avait pour moi un goût d'inachevé qui me laissait désemparée. La préparation du réveillon, le grand ménage et les achats n'étaient alors pas tout à fait terminés et rien n'était vraiment accompli. Dans cette maison incertaine, je n'avais rien d'autre à faire que mes devoirs de vacances d'hiver.

Mais après la mort de mon père et de ma mère, l'un après l'autre, de maladie, les liens avec ces festivités saisonnières se sont peu à peu distendus. Et l'arrivée de mon beau-frère dans cette maison n'a rien changé.

Mes études et le travail de mon beau-frère étant interrompus par les vacances d'hiver, l'atmosphère du petit déjeuner, ce matin, était détendue.

Il s'est assis, les yeux plissés derrière ses lunettes, en disant :

— Même la lumière hivernale est éblouissante quand on n'a pas assez dormi.

Le soleil matinal arrivait du jardin jusque sous la table, et l'ombre de nos trois paires de pantoufles s'allongeait sur le sol.

Je lui ai demandé s'il était rentré tard. Hier soir, c'était la soirée de fin d'année du cabinet dentaire où il travaille, et je crois que je dormais quand il est rentré.

— J'ai réussi à avoir le dernier train, m'a-t-il répondu en soulevant sa tasse de café. Un nuage de vapeur dégageant une odeur sirupeuse s'est attardé au-dessus de la nappe.

Il met toujours une grande quantité de lait et de sucre dans son café, si bien qu'au petit déjeuner, on se croirait dans une pâtisserie. Je me demande comment il fait pour boire du café aussi sucré sans penser aux caries, lui qui est prothésiste dentaire.

— Le dernier train, c'est encore pire que celui de l'heure de pointe du matin. C'est plein, et en plus, tout le monde est ivre.

Ma sœur aînée a raclé le couteau à beurre sur son toast.

Sa visite d'hier à la maternité a officialisé sa grossesse, mais elle ne donne pas l'impression d'avoir changé. Cela m'a étonnée, car je croyais que sa réaction serait plus forte, en bien ou en mal. D'habitude, il suffit d'une toute petite chose, la fermeture de son salon de coiffure habituel, la mort du vieux chat des voisins, une coupure d'eau d'une journée occasionnée par des travaux sur une canalisation, pour la troubler énormément et la rendre nerveuse au point de devoir se précipiter sans tarder chez le professeur Nikaido.

Je me demande de quelle manière elle a présenté sa grossesse à mon beau-frère. Je ne sais pas trop comment ils se parlent tous les deux quand je ne suis pas là. De toute façon, j'ai du mal à comprendre ce qu'est un couple. Cela m'apparaît un peu comme une étrange entité gazeuse. Un corps éphémère, sans contours ni forme, qu'on a du mal à distinguer dans la transparence de son flacon triangulaire, au laboratoire.

Ma sœur a planté sa fourchette dans son omelette en murmurant que c'était trop poivré. Comme il faut toujours qu'elle fasse des réflexions sur ce qu'elle mange, j'ai fait semblant de ne pas avoir entendu. Des gouttes de liquide jaune, d'œuf à moitié cuit, sont tombées des dents de sa fourchette. Mon beau-frère mangeait un kiwi coupé en rondelles. Je déteste les kiwis à cause de leur multitude de petits grains noirs qui me font penser à un nid de minuscules insectes. Aujourd'hui, il était bien mûr et sa chair était fondante. Des gouttes perlaient sur la motte de beurre blanche qui suintait dans son beurrier.

Puisque, tous les deux, ils ne semblaient pas vouloir aborder le sujet de la grossesse, je n'ai pas pu en parler moi non plus. Les oiseaux chantaient dans le jardin. Des nuages s'effilochaient haut dans le ciel. On entendait tour à tour des chocs de vaisselle et des bruits de déglutition.

Aucun d'entre nous n'a eu l'air de se rendre compte que nous étions l'avant-dernier jour de l'année. A la maison, il n'y a ni branches de pin dans l'entrée, ni haricots noirs, ni *mochi*.

— Il vaudrait peut-être mieux faire le grand ménage, ai-je dit comme si je me parlais à moi-même.

Mon beau-frère s'est alors adressé à ma sœur en léchant ses lèvres humides du jus transparent du kiwi :

— Il vaut mieux que tu n'en fasses pas trop car tu dois prendre soin de toi en ce moment.

Il a la manie de faire avec gentillesse ce genre de réflexion tout à fait banale.

3 janvier (samedi) 6 semaines + 5 jours

Les parents de mon beau-frère sont venus nous rendre visite avec une boîte pleine de spécialités du nouvel an. Quand ils viennent, je ne sais jamais quel langage employer pour leur parler ni comment m'adresser à eux, et cela me trouble.

Comme nous sommes restés toute la journée à la maison, sans sortir, nous contentant quand nous avions faim de réchauffer une pizza surgelée ou d'ouvrir une boîte de salade de pommes de terre, nous avons été impressionnés par toutes ces spécialités extraordinaires. Elles ressemblaient à des objets richement travaillés, pas du tout à de la nourriture.

Je le pense à chaque fois, mais ils sont vraiment très gentils. Même si les feuilles mortes s'entassent dans le jardin, s'il n'y a que du jus de pomme et du fromage en portions dans le réfrigérateur, ils n'ont pas fait de réflexions désagréables à ma sœur et se sont réjouis ouvertement d'avoir bientôt des petits-enfants.

Après leur départ dans la soirée, ma sœur a poussé un grand soupir et elle s'est endormie sur le canapé après nous avoir dit qu'elle était fatiguée. Elle s'est endormie d'un seul coup, comme si on avait actionné un interrupteur. Elle dort beaucoup ces derniers temps. Elle dort paisiblement, comme si elle s'enfonçait dans un marais froid et profond.

Ne serait-ce pas à cause de sa grossesse ?

8 janvier (jeudi) 7 semaines + 3 jours

Elle a enfin des nausées.

Je ne savais pas que les nausées pouvaient arriver d'une manière aussi soudaine. Ma sœur m'a dit une fois qu'elle n'en aurait pas. Elle déteste ce genre d'idée préconçue. Elle est persuadée qu'elle est la seule sur qui l'hypnose et les anesthésies ne marchent pas.

Nous étions en train de manger un gratin de macaronis toutes les deux à midi quand soudain elle a soulevé sa cuiller à hauteur des yeux et l'a regardée avec insistance.

— Tu ne trouves pas qu'elle a une drôle d'odeur ?

Pour moi, c'était une cuiller toute simple.

Elle a ajouté en la reniflant :

— Elle a une odeur de sable.

— De sable ?

— Oui. La même odeur que petite, quand je suis tombée dans le bac à sable. Une odeur âpre, sèche et lourde.

Elle a reposé sa cuiller sur son assiette avant de s'essuyer la bouche avec sa serviette.

— Tu ne manges plus ? lui ai-je demandé, et elle m'a fait signe que non avant d'appuyer son menton sur ses mains.

Sur le poêle, la bouilloire chuintait. Ma sœur me regardait sans rien dire. N'ayant rien d'autre à faire, j'ai continué à manger.

— Tu ne trouves pas que la sauce blanche d'un gratin, ça ressemble à du liquide gastrique ?

a-t-elle murmuré. Je n'y ai pas fait attention, et j'ai bu une gorgée d'eau glacée.

— C'est tiède, ça colle à la langue et ça fait des grumeaux.

Elle faisait le dos rond et me regardait, la tête penchée. J'ai donné des petits coups dans mon assiette, du bout de ma cuiller.

— Et puis, cette couleur troublante. On dirait de la graisse.

J'ai continué à ne pas faire attention. Le temps était nuageux, le vent d'hiver faisait trembler les vitres. Sur le plan de travail en acier inoxydable de la cuisine gisaient la tasse graduée, la boîte de lait vide, la cuiller en bois et la casserole qui m'avaient servi à préparer la sauce.

— Et tu as vu comme les macaronis ont une forme bizarre ? Quand ces cylindres se coupent à l'intérieur de ma bouche, j'ai l'impression là, tout de suite, de manger des tubes digestifs. Des tubes visqueux, comme ceux qui laissent passer la bile ou le liquide pancréatique.

En regardant avec tristesse tous ces mots sortir de sa bouche, je caressais du bout des doigts les incrustations de ma cuiller. Elle a continué à dire tout ce qui lui passait par la tête avant de se lever lentement pour quitter la pièce. Le gratin qui avait refroidi formait une masse blanche sur la table.

13 janvier (mardi) 8 semaines + 1 jour

Lorsque ma sœur m'a montré la photographie pour la première fois, j'ai cru voir une pluie glacée striant un ciel nocturne.

Par sa forme, elle était identique à un cliché ordinaire. Elle était entourée d'un cadre blanc, et portait imprimée au dos la marque de la pellicule. Mais quand ma sœur l'a négligemment jetée sur la table en rentrant de son examen, j'ai tout de suite compris qu'il ne s'agissait pas d'une photo normale.

A force de scruter cette couleur noire, pure et profonde, j'ai failli avoir le vertige. La pluie flottait dans le ciel comme une brume fragile. Et dans ce fin brouillard se découpait une cavité en forme de haricot.

— C'est mon bébé.

Ma sœur pointait un coin de la photo du bout de son doigt dont l'ongle était manucuré avec soin. A cause des nausées, elle avait les joues transparentes.

Je croyais entendre le bruit de la pluie fine qui mouillait la nuit. Le bébé était accroché dans le rétrécissement du haricot. C'était une ombre fragile qui, si le vent avait soufflé, aurait pu s'enfoncer en tourbillonnant au plus profond de la nuit.

— Voici donc l'origine de mes nausées.

Elle s'est laissée tomber sur le canapé car elle n'avait rien mangé depuis le matin.

— Dis-moi, comment fait-on pour prendre ce genre de cliché ?

— Je ne sais pas. Je suis tout simplement restée allongée sur le lit. Je m'apprêtais à partir après l'échographie quand le médecin me l'a donnée. Il m'a dit que ça me ferait un souvenir.

— Un souvenir, rien que ça !

J'ai regardé encore une fois la photo.

— Alors, comment il est, le médecin de la clinique M. ? lui ai-je demandé en me remémorant l'odeur de peinture des fenêtres.

— C'est un gentleman aux cheveux blancs, presque un vieux monsieur. Il n'est pas très bavard. Et il n'est pas le seul : ses deux infirmières sont très calmes elles aussi et ne parlent pas pour ne rien dire. Elles ne sont plus très jeunes elles non plus. Elles doivent avoir à peu près le même âge que lui. Ce qui est curieux, c'est qu'elles se ressemblent comme deux gouttes d'eau. Leur allure, leur coiffure, leur voix et jusqu'à l'emplacement des taches sur leur blouse blanche qui sont les mêmes. Je crois que je serais incapable de faire la différence. Quand on entre dans la salle d'examen, le silence est tel que les oreilles bourdonnent et on n'entend que le bruit discret des fiches que l'on tourne, des pinces qui attrapent du coton hydrophile ou des seringues que l'on sort de leur boîte. Le médecin et ses infirmières n'ont pas besoin de parler pour se comprendre, on dirait qu'ils communiquent par signes qu'ils sont les seuls à comprendre. Il suffit au médecin d'un simple geste ou d'un regard pour que les infirmières sortent aussitôt ce dont il a besoin, les analyses de sang ou les courbes de température. Je suis toujours fascinée par leur dextérité dans ce domaine.

Elle était profondément enfoncée dans le canapé, et elle a croisé les jambes.

— La clinique M. n'a pas changé depuis l'époque où nous nous y amusions ? lui ai-je demandé, et elle a eu un grand signe de tête.

— Pas du tout. Je suis passée sous le portail de l'école primaire, j'ai tourné au coin du fleuriste, et en apercevant le panneau de la clinique, je me suis soudain sentie projetée hors du temps. Je me suis rapprochée pas à pas, et quand j'ai posé la main sur la poignée pour ouvrir la porte, j'ai eu l'impression d'être aspirée dans un endroit très profond.

Ses joues, alors qu'elle était à l'intérieur de la pièce, tardaient à se réchauffer, elles restaient froides et transparentes.

— La salle d'examen n'a pas changé, tu sais. Les étagères pour les médicaments, longues et étroites, la solide chaise de bois sur laquelle s'assoit le médecin, le paravent avec sa vitre dépolie, je me souvenais de tout. C'est vieux et démodé, mais c'est propre et bien tenu. Il y a une seule chose dans ce cabinet qui est neuve et qui semble incongrue. C'est quoi à ton avis ?

J'ai secoué la tête.

— L'appareil à échographies.

Ma sœur a prononcé ce dernier mot avec lenteur, comme s'il s'agissait de quelque chose de très précieux.

— Quand je vais à la consultation, on me fait toujours allonger sur le lit qui se trouve à côté de cet appareil. Je dois tirer tant bien que mal sur mon chemisier et mes sous-vêtements pour dénuder mon ventre, et c'est alors qu'arrive une infirmière qui étale en silence sur ma peau un gel sorti d'un tube beaucoup plus gros que ceux qui contiennent du dentifrice. J'aime beaucoup la sensation que j'éprouve à ce moment-là. Une matière douce et transparente comme de la gélatine me caresse le ventre. Cela me rend toute bizarre.

Là, ma sœur a poussé un gros soupir avant de poursuivre :

— Ensuite, le médecin promène sur mon ventre un boîtier qui ressemble à un talkie-walkie, relié par un tube noir à la machine à ultrasons. Grâce au gel, il adhère parfaitement à ma peau. A ce moment-là l'intérieur de mon ventre apparaît sur l'écran de contrôle.

Avec son doigt, elle a fait faire un tour à la photographie sur la table.

— A la fin de l'examen, l'infirmière essuie mon ventre avec un morceau de gaze fraîchement lavée. C'est un instant un peu triste. J'ai toujours envie de goûter un peu plus longtemps cette sensation.

Elle parlait avec aisance.

— La première chose que je fais en sortant de la salle d'examen, c'est d'aller aux toilettes. Je tire encore une fois sur mes vêtements pour regarder mon ventre. Je me dis qu'il reste peut-être un peu de gélatine. Mais je suis toujours déçue. Il n'y a plus rien. J'ai beau le caresser, ça ne glisse plus. Ce n'est ni humide ni froid. Je suis vraiment déçue.

Elle a soupiré.

Un des gants qu'elle avait enlevés gisait sur le sol. Dehors, une neige poudreuse s'était mise à tomber.

— Qu'est-ce que ça te fait qu'on ait pris en photo l'intérieur de ton ventre ? lui ai-je demandé en regardant la neige voltiger au gré du vent.

— Peut-être la même chose que lorsqu'il prend l'empreinte de mes dents ?

— Ton mari ?

— Oui. Un mélange de honte, d'agacement et d'inquiétude.

Après avoir dit cela, elle a fermé tranquillement la bouche et s'est tue.

Elle a tendance à garder le silence après avoir ainsi longuement parlé sans interruption et ce n'est pas bon pour elle. C'est la preuve qu'elle a du mal à contrôler ses nerfs. Je me suis dit qu'elle n'allait sans doute pas tarder à se précipiter chez le professeur Nikaido.

Entre nous deux, l'ombre fragile d'un bébé hante les ténèbres.

28 janvier (mercredi) 10 semaines + 2 jours

Les nausées de ma sœur sont de plus en plus violentes. Elle broie du noir car elle n'a aucun espoir de les voir s'arranger peu à peu ou disparaître à une date bien précise.

En tout cas, elle est incapable de manger quoi que ce soit. J'ai essayé de lui proposer toutes sortes de nourritures imaginables, mais elle a tout refusé. Je lui ai apporté tous les livres de cuisine qui se trouvent dans la maison pour les feuilleter avec elle, mais en vain.

J'ai réalisé à quel point manger est une tâche délicate.

Son estomac vide la tenaillait tellement qu'elle a fini par dire qu'il fallait absolument qu'elle se mette quelque chose sous la dent. (Elle n'a pas dit manger.)

Elle a choisi un croissant. N'importe quoi d'autre, une gaufrette ou des chips, aurait fait l'affaire pour apaiser son ventre vide. Il se trouve qu'à ce moment-là un croissant restant du petit déjeuner émergeait de la corbeille à pain.

Elle a détaché un morceau de l'extrémité de la demi-lune avant d'avaler sans presque mâcher. Puis elle a bu une gorgée d'une canette de boisson pour les sportifs en prenant un air dégoûté. Elle n'avait pas du tout l'air de faire un repas. Son attitude relevait plutôt d'un rite appartenant à un étrange cérémonial.

Mon beau-frère n'arrête pas de trouver des revues avec des articles intitulés : "Dossier : Comment j'ai surmonté mes nausées", ou : "Le rôle du mari au moment des nausées". J'ai été étonnée, car je ne savais pas qu'il existait autant de revues consacrées aux femmes enceintes et aux bébés. "Eviter les intoxications pendant la grossesse",

“Tout ce qu’il faut savoir sur les hémorragies au cours de la grossesse”, “Plan de financement pour la naissance”... En lisant tous ces titres, j’ai été dégoûtée par tous les problèmes qui risquent de venir s’abattre sur elle.

Aussi incroyable que cela puisse paraître, l’appétit de mon beau-frère s’est trouvé affecté en même temps que celui de ma sœur. Il a beau se mettre à table, il se contente de titiller les plats du bout de sa fourchette et ne porte rien à sa bouche.

— Quand elle ne se sent pas bien, moi aussi je me sens mal, a-t-il essayé de se justifier en soupirant.

Je crois que ma sœur pense que c’est par gentillesse qu’il réagit ainsi. Mais j’ai bien vu qu’il était tout pâle et qu’il se retenait, quand il lui caressait le dos au moment où elle se forçait à avaler son croissant. Ils se serrent l’un contre l’autre comme deux oiseaux blessés, et rentrent tôt dans leur chambre qu’ils ne quittent plus jusqu’au matin.

Mon beau-frère me semble vraiment pitoyable. Car il n’a absolument aucune raison de se sentir mal. J’éprouve même une certaine colère quand je pense à ses petits soupirs.

Il me vient soudain à l’idée que je pourrais tomber amoureuse d’un homme capable de manger en totalité un menu français à côté de moi, même si les nausées devaient me laisser sans réaction.

6 février (vendredi) 11 semaines + 4 jours

En ce moment, je prends seule tous mes repas. Je mange tranquillement, en regardant les massifs de fleurs dans le jardin, la pelle qui traîne ou les nuages qui courent dans le ciel. Je goûte ces heures de liberté, buvant même de la bière à midi ou fumant ces cigarettes que ma sœur déteste. Je ne souffre pas de la solitude. Je crois que manger seule me convient.

Ce matin, j'étais en train de faire cuire des œufs au bacon dans la poêle quand ma sœur a descendu l'escalier en courant.

— L'odeur est épouvantable. Fais quelque chose ! a-t-elle crié en s'arrachant les cheveux. J'ai même cru qu'elle allait se mettre à pleurer. Ses pieds nus au bout de ses jambes de pyjama étaient glacés, transparents comme du verre. Elle a fermé d'un geste brusque le bouton de la gazinière.

— Ce ne sont que des œufs et du bacon, ai-je répondu d'une toute petite voix.

— Mais pas du tout. La maison est tellement envahie par l'odeur de beurre, de graisse, d'œuf et de porc que c'est irrespirable.

Et, renversée sur la table, elle s'est mise à sangloter. Je ne savais pas quoi faire. J'ai commencé par mettre le ventilateur en marche et ouvrir les fenêtres.

Elle pleurait vraiment du fond du cœur. Sa manière de pleurer était aussi remarquable que si elle avait joué la comédie. Ses cheveux tombaient sur son visage, ses épaules tremblaient légèrement, sa voix était mouillée de larmes. J'ai posé ma main sur son dos pour la consoler.

— Je voudrais que tu fasses quelque chose. Quand je me suis réveillée ce matin, j'étais tout imprégnée de cette affreuse odeur. J'en avais la bouche, les poumons et l'estomac retournés, et les intestins engloutis dans un tourbillon, m'a-t-elle dit entre deux sanglots.

— Pourquoi faut-il qu'il règne une odeur pareille dans cette maison ? C'est une odeur dégoûtante qui se répand partout.

— Excuse-moi. Je vais faire attention, lui ai-je dit craintivement.

— Il n'y a pas que l'odeur des œufs et du bacon. Il y a aussi celle de la poêle brûlée, des assiettes en porcelaine, du savon sur le lavabo, des rideaux de la chambre, tout sent terriblement mauvais. Chaque odeur s'étale comme un ectoplasme, une autre vient l'envelopper et la phagocyte, une autre encore vient les rejoindre et ainsi de suite, à l'infini…

Elle a frotté son visage plein de larmes sur la table. J'avais toujours ma paume sur son dos, et je regardais les carreaux de son pyjama, incapable de faire quoi que ce soit. Le bruit de moteur du ventilateur était plus fort que d'habitude.

— Est-ce que tu sais à quel point les odeurs sont terrifiantes ? On ne peut pas leur échapper. Elles m'attaquent sans aucune pitié. Je voudrais aller dans un endroit où les odeurs n'existent pas.

Un endroit comme une chambre d'hôpital aseptisée. Là, je déviderais mes intestins et je les laverais à l'eau pure jusqu'à ce qu'ils deviennent tout brillants.

— Mais oui, mais oui, ai-je murmuré. Puis j'ai inspiré profondément. Mais je n'ai reconnu nulle part l'ombre d'une odeur. C'était la cuisine, par un matin frais. Sur l'étagère, les tasses à café étaient serrées les unes à côté des autres, le torchon accroché au mur, bien sec, était blanc, et un ciel bleu, comme gelé, s'étendait de l'autre côté de la fenêtre.

Je ne sais pas très bien combien de temps elle a pleuré. J'ai l'impression que cela a duré quelques minutes, mais aussi un temps infiniment long. En tout cas, elle a pleuré tout son soûl, puis, après une ultime longue expiration, elle a relevé la tête et m'a regardée. Ses cils et ses joues étaient trempés, mais elle avait retrouvé son calme.

— Ce n'est pas que je ne veuille pas manger, tu sais, a-t-elle commencé posément. En fait, je mangerais bien n'importe quoi. Je voudrais me goinfrer comme un cheval. Je suis triste et nostalgique quand je me représente en train de me régaler comme avant. Et je me laisse emporter par mon imagination. Il y a des roses au centre de la table, la lumière des bougies qui se reflète dans les verres de vin, de la soupe ou un plat de viande qui fument. Bien sûr, il n'y a pas d'odeur. Je pense aussi à ce que je mangerai en premier quand je n'aurai plus de nausées. Même si je me demande avec inquiétude si elles vont jamais prendre fin. J'essaie de dessiner. Une sole meunière, des travers de porc, une salade de brocolis. Je me concentre pour les dessiner de la manière la plus réaliste possible. Je sais bien que c'est idiot. Je ne pense qu'à manger toute la journée. Comme les enfants pendant la guerre.

Elle a essuyé ses larmes à la manche de son pyjama.

— Il ne faut pas te faire des reproches et te traiter d'idiote. Ce n'est pas de ta faute, lui ai-je dit.

— Merci, m'a-t-elle répondu, l'air hagard.

— Je vais faire attention à ne pas utiliser la cuisine quand tu es là.

Elle a acquiescé.

Dans la poêle étaient tapis mes œufs au bacon complètement refroidis.

10 février (mardi) 12 semaines + 1 jour

Douze semaines, cela signifie que ma sœur est entrée dans son quatrième mois. Mais elle a toujours autant de nausées. Elles lui collent à la peau comme un chemisier mouillé.

Comme je m'y attendais, elle est allée aujourd'hui chez le professeur Nikaido. En ce moment, ses nerfs, ses hormones et ses émotions sont en plein désordre.

Comme toujours lorsqu'elle se rend chez le professeur Nikaido, elle met un temps fou pour choisir ses vêtements. Elle étale tout sur le lit : manteaux, jupes, cardigans, foulards, avant de réfléchir. Et elle se maquille avec encore plus de soin que d'habitude. En la voyant faire, je me demande toujours avec inquiétude comment il se peut que mon beau-frère n'en soit pas jaloux.

A cause des nausées, ses hanches sont devenues plus étroites, ses joues se sont creusées, et son menton s'est fait plus pointu, si bien qu'elle est encore plus jolie qu'avant. On ne peut pas croire qu'elle est enceinte.

Un jour de typhon, j'ai rencontré le professeur Nikaido venu raccompagner ma sœur à la maison. C'est un homme ordinaire, d'âge mûr, au visage sans personnalité. Il n'a aucun signe particulier, lobes des oreilles développés, doigts épais ou cou élancé, qui soit remarquable. Il se tenait tranquillement derrière elle, les yeux baissés. Il m'est apparu d'autant plus triste que ses cheveux et ses épaules étaient trempés par la pluie.

Je ne sais pas quel genre de thérapie il emploie ; d'après ma sœur, il semble qu'il se base sur des tests psychologiques simples, l'hypnose et les médicaments. Mais cela fait plus de dix ans, depuis le lycée, qu'elle suit son traitement sans discontinuer, et je crois que la maladie de nerfs dont elle souffre ne s'est pas du tout améliorée. Cette maladie ondule comme des algues flottant à la surface de la mer qui n'en finiraient pas de venir s'échouer sur le sable.

Mais elle m'a dit que, pendant sa séance de thérapie, elle avait l'impression que son corps retrouvait sa liberté.

— C'est un peu la même sensation que lorsque je me fais laver les cheveux chez le coiffeur. C'est tellement agréable de laisser les autres prendre soin de vous ! m'a-t-elle expliqué en plissant les yeux, comme si elle se remémorait l'agréable sensation éprouvée alors.

Je ne pense pas que le professeur Nikaido soit aussi bon thérapeute qu'elle le dit. Son regard, le soir du typhon, quand il s'est retrouvé debout dans l'entrée en silence, plus que celui d'un psychiatre, était effrayé comme celui d'un malade. Je me demande comment il s'y prend pour apaiser les nerfs fragiles de ma sœur.

Le soleil s'est couché, le disque argenté de la lune est monté dans le ciel, mais ma sœur n'était toujours pas rentrée.

Mon beau-frère a dit, comme s'il se parlait à lui-même :

— Est-ce bien raisonnable d'être dehors par cette nuit froide ?

En entendant le taxi s'arrêter devant le portail, il est sorti aussitôt à sa rencontre.

Elle a dit “Bonsoir” en enlevant son écharpe. Ses pupilles et ses cils brillaient d'un éclair froid. Elle avait l'air beaucoup plus calme que le matin.

Mais elle a beau aller chez le professeur Nikaido, elle a toujours ses nausées.

1er mars (dimanche) 14 semaines + 6 jours

Je me suis aperçue brutalement que pas une seule de mes pensées n'est allée au bébé à naître. Il vaut peut-être mieux que je réfléchisse moi aussi à son sexe, son nom et sa layette. Normalement, on devrait se réjouir beaucoup plus de ce genre de choses.

Ma sœur et mon beau-frère ne parlent pas du bébé en ma présence. Ils se comportent comme si la grossesse n'avait aucun rapport avec le fait d'abriter un bébé en son sein. C'est pour cela que pour moi non plus le bébé n'est pas une chose concrète.

Maintenant, le mot-clé que j'emploie dans ma tête pour me rendre compte de l'existence du bébé est “chromosome”. En tant que “chromosome”, il m'est possible de prendre conscience de sa forme.

J'ai déjà vu une photographie de chromosomes quelque part dans une revue scientifique. On aurait dit un alignement de couples de larves de papillons jumeaux. Les larves avaient une forme ovale, longue et étroite, juste assez ronde pour pouvoir les prendre entre le pouce et l'index, et leur petit rétrécissement et leur enveloppe humide ressortaient avec beaucoup de fraîcheur. Chaque couple avait sa personnalité propre et il y en avait pour tous les goûts : ceux dont l'extrémité était retournée comme la poignée d'une canne, ceux qui étaient absolument parallèles l'un par rapport à l'autre, et ceux qui étaient collés dos à dos comme des frères siamois.

Quand je pense au bébé de ma sœur, c'est toujours ces larves jumelles qui me viennent à l'esprit. Je déchiffre à l'intérieur de ma tête la forme chromosomique du bébé.

14 mars (samedi) 16 semaines + 5 jours

Le ventre de ma sœur ne se remarque pas du tout, bien qu'elle soit entrée dans son cinquième mois. Elle maigrit à toute vitesse, car depuis plusieurs semaines, elle se nourrit exclusivement de croissants et de boissons pour les sportifs. En dehors de ses visites à la clinique M. et au professeur Nikaido, elle est sans réaction sur son lit, comme un grand malade.

La seule chose que je puisse faire est de m'efforcer de ne pas produire d'odeurs. J'ai remplacé tous les savons par des pains sans parfums. J'ai mis toutes les épices comme le paprika, le thym ou la sauge dans des boîtes métalliques hermétiques. J'ai rangé dans ma chambre les produits de beauté qui se trouvaient dans la sienne. Comme elle dit que même l'odeur du dentifrice l'incommode, mon beau-frère s'est procuré un appareil à jet d'eau. Bien sûr, je ne fais pas de cuisine en sa présence. Si je ne peux pas faire autrement, je sors avec la marmite à riz, la plaque électrique ou le moulin à café et je mange sur une natte étendue par terre.

Quand je dîne seule dans le jardin en regardant le ciel, je me sens le cœur tranquille. En ce début du printemps, les nuits sont douces et je n'ai pas froid. Alors que mes bras ou mes jambes restent flous sur la natte, le lagerstrœmia du jardin, les briques des massifs ou les petites étoiles clignotantes se détachent nettement dans l'obscurité. Il n'y a pas un bruit en dehors de l'aboiement d'un chien dans le lointain.

Je branche la marmite à riz à la prise de courant que j'ai eu tant de mal à installer dans le jardin, et, un moment plus tard, il en sort une vapeur blanche qui se fond dans les ténèbres. Ensuite je réchauffe une blanquette toute prête sur la plaque électrique. De temps en temps, un coup de vent emporte le nuage de vapeur haut dans le ciel. Puis la végétation se met à trembler dans le jardin.

Quand je mange dehors, cela me prend plus de temps que d'habitude. Sur la natte, les bols et les assiettes ont tous un petit air penché. Je verse la blanquette en faisant attention à ne pas en renverser, et j'ai l'impression de jouer à la dînette. Le temps s'écoule doucement dans l'obscurité.

Les yeux levés vers la chambre de ma sœur au premier étage, j'aperçois une vague lumière. J'ouvre grande la bouche et avale l'obscurité de la nuit en même temps qu'une bouchée de blanquette, tout en l'imaginant blottie dans son lit, environnée d'odeurs.

22 mars (dimanche) 17 semaines + 6 jours

Les parents de mon beau-frère sont venus apporter quelque chose de bizarre enveloppé dans un foulard. C'était un long morceau de tissu blanc, d'environ cinquante centimètres de large. Quand la mère de mon beau-frère a soigneusement déballé le foulard, je n'ai pas compris de quoi il s'agissait. Pour moi, ce n'était qu'un banal morceau de tissu et aucun autre mot ne me venait à l'esprit pour le qualifier.

Mon beau-frère l'a déplié et il y avait la silhouette d'un chien imprimée à un bout. Un chien au regard vif, avec ses oreilles dressées.

— C'est vrai qu'aujourd'hui c'est le jour du chien du cinquième mois, a dit ma sœur d'une voix faible, n'arrivant pas à leur cacher qu'elle se sentait mal.

— Oui. Cela va peut-être vous embarrasser, mais c'est un porte-bonheur.

Tout en parlant, sa belle-mère alignait devant nous une baguette de bambou, une pelote de fil rouge et une clochette en argent. Puis en dernier, elle a sorti la brochure du temple qui expliquait comment former des souhaits pour un accouchement sans complications en utilisant tout cet attirail.

— Ils ont même prévu une notice explicative ? n'ai-je pu m'empêcher de souligner avec admiration.

— On trouve tout l'ensemble en allant au temple, m'a-t-elle répondu en souriant.

Je me suis demandé avec inquiétude si la teinture blanche du tissu ou la baguette de bambou, dont on ne savait à quoi elle servait, avaient une odeur. Ma sœur caressait de ses doigts minces la couverture de la brochure.

Chacun de nous cinq a pris tour à tour ces objets étalés sous nos yeux, en hochant la tête, les retournant ou les secouant.

Dès qu'ils ont été repartis, ma sœur s'est détournée de l'ensemble du temple pour aller s'enfermer dans sa chambre. Mon beau-frère a tout rangé, enveloppant chaque objet comme il se présentait au départ. La clochette tintait doucement.

— Pourquoi y a-t-il l'image d'un chien ? ai-je demandé à mon beau-frère.

— Les chiens donnent naissance à beaucoup de chiots en une seule fois. Et sans difficulté. C'est pour cette raison qu'on en a fait un porte-bonheur.

— Chez les animaux aussi on fait la différence entre les accouchements avec ou sans complications ?

— On dirait, oui.

— Je me demande si les chiots naissent aussi facilement que les pois jaillissent hors de leur cosse.

— Oui, je me le demande aussi.

— Tu as déjà vu une chienne mettre bas ?

— Non, m'a-t-il répondu en secouant la tête.

Dans le foulard, l'image du chien avait les yeux fixés sur moi.

31 mars (mardi) 19 semaines + 1 jour

J'ai dû me lever assez tôt, car le supermarché où j'ai travaillé aujourd'hui était loin. Pendant tout le chemin jusqu'à la gare, j'étais environnée de brume. Mes cils étaient humides et glacés.

Ce que j'aime dans ce travail, c'est que je vais dans des supermarchés de quartier que je ne connais pas et où je ne retournerai sans doute jamais. J'ai l'impression de voyager en regardant les gens venir dans ce magasin qui donne en général sur la petite place d'une gare, dotée d'un passage pour piétons, d'un parking à bicyclettes et d'un terminal d'autobus.

J'entre toujours par la porte de service, après avoir montré l'autorisation que m'a fournie l'agence qui m'a embauchée. L'endroit, encombré de cartons, de déchets de légumes et de bâches en plastique mouillées jetés n'importe comment, donne une impression de désolation. La lampe au néon éclaire faiblement, et l'entrée est plongée dans la pénombre. Je montre mon autorisation au guichet du gardien qui hoche la tête d'un air peu aimable.

A l'intérieur du magasin, qui n'est pas encore ouvert, les étagères sont recouvertes, la lumière est pratiquement éteinte, et il règne la même désolation que dans l'entrée. Je fais le tour des points de vente, mon sac plein de matériel à la main, pour repérer l'endroit le plus approprié à mon travail. Aujourd'hui, j'ai choisi une allée entre la viande et les produits congelés.

Je me fabrique d'abord un socle en empilant des cartons que l'on m'a donnés dans l'entrée, que je recouvre d'une nappe fleurie. J'y dépose une assiette sur laquelle je mets quelques crackers. Puis je sors le bol et le batteur pour fouetter ma chantilly.

Comme le bruit mécanique que je produis alors se répercute d'un bout à l'autre des rayons déserts, je suis toujours un peu honteuse à ce moment-là. Je m'applique uniquement à faire marcher mon fouet en ignorant le regard des employés qui se rassemblent devant les caisses pour la réunion du matin.

Le supermarché où je suis allée aujourd'hui vient d'être refait à neuf et il est magnifique avec son sol et son plafond tout brillants. Je mets de la chantilly sur les crackers pour les proposer aux clients. Les phrases que j'emploie à ce moment-là sont absolument conformes à celles du manuel de la société qui m'emploie.

— Aujourd'hui, la crème fouettée est en promotion. Profitez-en pour l'essayer. Que diriez-vous d'un bon gâteau fait maison ?

C'est tout ce que je dis. Je n'ajoute pratiquement rien d'autre.

Toutes sortes de personnes passent devant moi : des femmes qui portent des sandales, des jeunes gens en survêtement, des Philippins aux cheveux frisés. Plusieurs d'entre eux prennent un cracker dans l'assiette que je leur tends pour y goûter. Certains passent sans s'arrêter en murmurant par exemple : “Je me demande de combien c’est moins cher”, tandis que d’autres mettent sans rien dire un pack de crème dans leur panier.

Je souris à tout le monde avec la même bienveillance. Le nombre de packs vendus n’a aucune incidence sur mon salaire. C’est plus facile d’adresser le même sourire imperturbable à tout le monde, sans se laisser influencer par ses états d’âme.

La première personne qui a goûté mes crackers aujourd’hui est une vieille femme toute voûtée. Elle avait autour du cou un foulard ressemblant à une serviette et dans la main gauche un sac de toile marron. C’était une grand-mère discrète qui se fondait tranquillement dans la foule des clients.

— Est-ce que je peux goûter ? m’a-t-elle demandé poliment en s’approchant.

— Bien sûr que oui, lui ai-je répondu gaiement.

Elle a d’abord fixé ce qu’il y avait sur l’assiette comme si elle n’avait jamais rien vu de pareil. Puis elle a tendu lentement le bras pour prendre un cracker entre ses doigts secs et noueux. A partir de là et jusqu’au moment où elle l’a fait disparaître dans sa bouche, le mouvement a été extraordinairement rapide. Elle a ouvert sa bouche ronde comme celle d’un enfant et, en la refermant, a fermé aussi les yeux.

Nous étions debout au milieu de toutes sortes de produits alimentaires. Derrière elle, s’étalait comme à la parade de la viande en tranches fines, en cubes, hachée, tandis que derrière moi, des haricots, des rouleaux de pâte feuilletée et des croquettes, durs comme du bois, étaient plongés dans le froid. Les rayons, plus hauts que la taille humaine, étaient alignés, se disputant le vaste espace, tous pleins à craquer de denrées alimentaires. Que ce soit les légumes frais, les produits laitiers, les biscuits ou les épices, ils semblaient sans limites. Debout entre les rayons, il y avait de quoi avoir le vertige en levant les yeux.

Des tas de gens avec des paniers à provisions marchaient autour de nous. Ils avançaient à la recherche de nourriture en ondulant comme s'ils flottaient entre deux eaux.

C'était terrible de penser que les hommes mangeaient tout ce qui se trouvait là. Cela me paraissait sinistre que tous ces gens fussent rassemblés uniquement à la recherche de nourriture. Alors, je me suis souvenue de ma sœur qui regardait son croissant d'un air découragé avant d'en détacher un petit morceau de la pointe de la demi-lune. Dans ma tête apparaissaient tour à tour ses yeux implorants au moment où elle l'avalait, et les miettes blanches éparpillées sur la table.

Quand la vieille femme a mangé son cracker, j'ai eu juste le temps d'apercevoir sa langue. Elle était d'un rouge vif, peu accordé à sa constitution visiblement fragile. On voyait distinctement l'intérieur de la bouche obscure, comme si les vésicules de la surface de sa langue accrochaient la lumière. Elle a fait disparaître avec dextérité la tache blanche de la crème fouettée.

— Euh, est-ce que je peux en avoir un autre ? a-t-elle demandé, toujours courbée, son sac à provisions à la main.

Il est rare que les gens demandent à goûter deux fois de suite, et je me suis sentie un peu désorientée, mais je me suis aussitôt reprise et je lui ai dit en souriant :

— Mais oui, je vous en prie.

Comme la première fois, elle a pris un cracker entre ses doigts ridés, a ouvert tout rond la bouche pour l'engloutir, laissant pointer sa langue rouge. Elle avait une manière très saine de manger. Il y avait du rythme, un certain enthousiasme, et beaucoup de fluidité.

— Bon, j'en prends.

Elle a glissé un pack de crème dans son sac.

— Je vous remercie.

Je me demandais sous quelle forme elle mangerait la crème quand elle serait rentrée chez elle. Sa silhouette discrète s'est rapidement effacée dans la foule.

16 avril (jeudi) 21 semaines + 3 jours

Aujourd'hui, ma sœur a revêtu pour la première fois une robe de grossesse. Cela a suffi à faire paraître son ventre plus gros. Mais en posant directement la main dessus, j'ai bien senti qu'il n'avait pas changé. Je n'arrivais pas à croire qu'une autre vie s'épanouissait de l'autre côté de ma main.

Ma sœur m'a semblé avoir du mal à s'habituer à sa nouvelle tenue, car elle a refait plusieurs fois le nœud du ruban autour de la taille.

Et, brusquement, ses nausées ont disparu. Comme pour le début, la fin a été brutale.

Ce matin, après avoir dit au revoir à mon beau-frère, elle est entrée dans la cuisine. Je me suis sentie un peu désorientée en la découvrant appuyée contre l'étagère à vaisselle, car depuis le commencement de ses nausées, la cuisine était devenue l'endroit qu'elle détestait le plus au monde.

Puisque ces temps-ci je ne faisais pratiquement plus à manger, tout était propre et bien rangé. Les ustensiles étaient à leur place, le plan de travail en acier inoxydable avait eu le temps de sécher, et le lave-vaisselle était vide. Comme une cuisine d'un hall d'exposition, l'ensemble était froid et sans personnalité.

Après avoir jeté un coup d'œil autour d'elle, ma sœur s'est assise à table. Alors qu'il y avait toujours au moins un paquet de biscuits entamé ou un flacon de sauce qu'on avait oublié de ranger, là il n'y avait rien. Elle m'a regardée comme si elle voulait me dire quelque chose. Le bord de sa robe de grossesse ondulait sur ses jambes.

— Tu veux un croissant ? lui ai-je proposé prudemment, pour ne pas la heurter.

— Je t'en supplie, ne prononce plus cet horrible mot de "croissant" devant moi.

J'ai acquiescé bêtement.

— J'ai envie d'essayer de manger autre chose, a-t-elle repris d'une toute petite voix.

— D'accord.

Je me suis empressée d'ouvrir le réfrigérateur en me demandant depuis combien de semaines elle n'avait pas réclamé quelque chose à manger.

Il était absolument vide. On ne remarquait que la lampe de l'éclairage intérieur. J'ai fermé la porte en soupirant.

Ensuite, je suis allée jeter un coup d'œil dans le placard à épicerie. Là aussi, c'était presque la même chose. Je n'y voyais aucune nourriture digne de ce nom.

— Qu'est-ce qu'il y a ?

Ma sœur paraissait inquiète.

— Euh, des feuilles de gélatine, la moitié d'un paquet de farine, de la méduse séchée, du colorant rouge alimentaire, de la levure, de l'essence de vanille…

Je me frayais un chemin à travers toutes sortes de sachets et de boîtes. Deux croissants qui restaient ont fait leur apparition, mais je les ai aussitôt repoussés vers le fond pour les cacher.

— C'est que j'ai faim, a-t-elle déclaré d'un ton ferme.

— Je sais, attends un peu. Il doit bien y avoir quelque chose à manger.

J'ai carrément plongé la tête dans le placard. J'ai tout vérifié à partir du haut, et sur l'étagère du bas j'ai enfin trouvé un reste de raisins secs pour la pâtisserie. La date de fabrication remontait à deux ans, et ils étaient desséchés comme les yeux d'une momie.

— Tu veux quand même essayer ça ? lui ai-je proposé en lui montrant le sac. Elle a fait signe que oui.

Je me demandais comment elle pouvait mâcher quelque chose d'aussi dur sans faire la grimace. Elle mangeait avec avidité, en remuant exagérément le menton, reprenant sans arrêt des raisins dans le sac. Son corps et son esprit ne faisaient qu'un pour se consacrer entièrement à la mastication. Enfin, elle posa sur sa paume le dernier raisin sec, et, après l'avoir observé un moment, elle le porta lentement à sa bouche avec un air de regret.

C'est alors que je me suis aperçue que ses nausées avaient disparu.

1er mai (vendredi) 23 semaines + 4 jours

Ma sœur a retrouvé en dix jours les cinq kilos qu'elle avait perdus en quatorze semaines de nausées.

Du moment qu'elle ne dort pas, elle a toujours quelque chose à manger à la main. Soit elle est à table pour le repas, soit elle tient un sachet de sucreries, soit elle cherche l'ouvre-boîte, soit elle regarde dans le réfrigérateur. J'ai l'impression que son existence est entièrement vouée à son appétit.

Elle mange avec ferveur. De la même façon qu'elle respire, elle avale continuellement quelque chose. Ses yeux sont purs et inexpressifs, fixés sur un point droit devant elle. Ses lèvres remuent vigoureusement, comme les cuisses particulièrement entraînées d'un athlète. Comme quand elle avait ses nausées, je ne peux rien faire d'autre que de la regarder.

Brusquement, elle a eu envie de quelque chose d'incroyable. Un soir qu'il pleuvait, elle a demandé un sorbet à la nèfle. La pluie tombait si fort que toute la surface du jardin était blanche d'éclaboussures. C'était déjà le milieu de la nuit, et nous étions tous les trois en pyjama. Il n'y avait pas de magasin ouvert à cette heure-ci dans le voisinage, sans compter que je ne savais même pas si cela existait.

— De la pulpe jaune d'or en feuilles cassantes comme du verre qui s'entrechoquent dans un bruit cristallin. Je veux manger du sorbet à la nèfle, a-t-elle réclamé.

— En pleine nuit, c'est impossible. Demain, c'est promis, j'essaierai d'en trouver, a gentiment répondu mon beau-frère.

— Non, tout de suite. Je ne pense qu'à ça. J'en ai presque du mal à respirer. Je n'arriverai jamais à dormir, a-t-elle insisté le plus sérieusement du monde. Résignée, je leur ai tourné le dos et je me suis assise sur le canapé.

— Ce n'est pas obligatoire qu'il soit à la nèfle, n'est-ce pas ? A l'orange ou au citron, j'en trouverai peut-être dans une supérette, a dit mon beau-frère en prenant ses clés de voiture.

— Tu vas sortir par ce temps ? me suis-je exclamée, consternée.

— Ça n'a aucun sens si ce n'est pas de la nèfle. Il me faut la peau souple et fragile, le duvet doré, le parfum délicat. Et ce n'est pas moi qui réclame tout ça. C'est la "grossesse" qui est en moi. La gros-ses-se, tu entends ? Alors je n'y peux rien.

Indifférente à ma voix, ma sœur continuait à faire l'enfant gâtée. Elle prononçait le mot "grossesse" avec dégoût, comme s'il se fût agi du nom d'une affreuse chenille.

Pour essayer de la calmer, mon beau-frère l'a prise par les épaules et lui a proposé toutes sortes de choses :

— Si tu veux, il y a de la crème glacée.

— Ça te dirait du chocolat ?

— Demain, j'irai voir au rayon des comestibles au grand magasin.

— Mais pour ce soir, tu vas prendre le médicament prescrit par le professeur Nikaido et nous allons dormir.

Mon beau-frère tripotait nerveusement ses clés. Il m'énervait avec le regard craintif qu'il avait pour elle.

C'était un spectacle comique que ces trois adultes, en pleine nuit, en train de se torturer pour du sorbet à la nèfle. Je ne comprenais pas comment nous en étions arrivés là. Nous pouvions toujours nous creuser la cervelle tous les trois, cela ne ferait pas apparaître ce maudit sorbet.

16 mai (samedi) 25 semaines + 5 jours

Il m'arrive de réfléchir au sujet de la grossesse de ma sœur et de sa relation avec mon beau-frère. A sa part de responsabilité dans cette grossesse. Si jamais il en a une.

Il a toujours pour elle un regard craintif. Quand elle est prise d'un accès d'instabilité, il commence à cligner nerveusement des yeux et répète en bégayant des mots sans signification tels que "Ah" ou "Euh", pour finir, à bout de ressources, par la prendre dans ses bras. Et il se force à prendre un air gentil, persuadé que c'est ce qu'elle attend de lui.

Je me suis aperçue dès le début de son insignifiance. C'est dans le cabinet dentaire que je l'ai rencontré pour la première fois. Quand elle l'a connu et même pendant la période de leurs fiançailles, elle ne l'a jamais amené à la maison, si bien que pendant longtemps je n'ai pas eu l'occasion de le rencontrer. Puis j'ai souffert d'une carie et elle m'a conseillé d'aller au cabinet dentaire où il travaille.

J'y ai été soignée par une femme d'âge mûr, bavarde, qui savait que j'étais la petite sœur de la fiancée et qui m'a posé plein de questions sur elle. J'ai dû répondre à chaque fois après avoir fermé la bouche pour évacuer la salive dont elle était pleine, et cela m'a beaucoup fatiguée.

Au moment où il a fallu prendre l'empreinte de mes dents pour poser une couronne, il est entré par la porte du fond du cabinet. Comme il est prothésiste, il porte une courte blouse blanche, différente de celle des dentistes. Il était plus mince que maintenant et avait les cheveux plus longs. Quand, arrivé près de moi, il m'a saluée pour la première fois, d'une manière tout à fait banale, j'ai compris qu'il était assez tendu. Parce que sa voix, sous son masque, était un peu sourde. J'étais moi-même allongée sur l'imposant fauteuil, et ne sachant dans quelle position me mettre pour le saluer, j'ai seulement tourné la tête vers lui pour l'incliner.

— Je vais prendre votre empreinte, a-t-il annoncé sur un ton exagérément poli en se penchant au-dessus de mon visage. Il s'agissait d'une dent du fond, j'étais donc obligée d'ouvrir très grand la bouche. Il a rapproché son visage, et quand il a glissé sa main dans ma bouche, ses doigts humides qui sentaient le désinfectant ont effleuré mes gencives. Je sentais sa respiration régulière derrière son masque.

La dentiste s'occupait d'un autre patient sur le fauteuil voisin. Sa voix enjouée me parvenait, mêlée au bruit de la roulette.

— La couleur de vos dents est de belle qualité, m'a-t-il dit en continuant son travail.

Je ne savais pas qu'on pouvait parler de la bonne ou mauvaise qualité de la couleur des dents, mais je n'ai rien pu dire car j'avais toujours la bouche large ouverte.

— Et elles sont magnifiquement bien plantées. Les racines s'enfoncent droit dans la gencive, murmurait-il. Vos gencives sont saines elles aussi. Leur couleur est fraîche et éclatante.

Je ne comprenais pas pourquoi il se voyait obligé de disserter sur l'impression que lui faisait l'intérieur de ma bouche. Je n'avais pas envie qu'on procède à une description détaillée de mes dents et de mes gencives.

Après avoir regardé en gros l'état de mes dents, il s'est assis sur un tabouret et a pris une plaque de verre sur une table roulante pleine de flacons. Puis il a déposé une poudre rose sur la plaque. La couleur se reflétait avec fraîcheur sur le verre dépoli.

J'avais chaud, car j'étais exposée à l'éclairage qui tombait du scialytique. Des fraises diamantées et des forets étaient alignés sur la tablette à côté. Le gobelet métallique destiné à se rincer la bouche débordait.

Il a versé sur la plaque de verre quelques gouttes d'un liquide contenu dans un récipient en forme de shaker et il a mélangé vivement à l'aide d'une spatule. Le cordon de son masque qui pendait négligemment derrière son oreille oscillait. Son regard allait et venait sans se fixer de ma fiche à mes dents, en passant par la plaque de verre.

Tout en regardant la masse rose se transformer progressivement en pâte élastique sur la plaque, je me suis demandé si ce pauvre garçon, avec son masque et sa blouse blanche, allait épouser ma sœur. Le verbe "épouser" me paraissait artificiel, alors j'ai cherché d'autres expressions, comme "vivre avec ma sœur", "aimer ma sœur", ou "coucher avec ma sœur"… Mais aucune ne convenait vraiment. La spatule, frottant contre la plaque de verre, a émis un grincement désagréable. Il a continué à brasser sans y prêter attention.

Le mélange a fini par former une boule homogène comme de la pâte à modeler. Il l'a prise entre l'index et le majeur, et tout en écartant mes lèvres avec les autres doigts, l'a collée sur mes dents du fond. Cela n'avait aucun goût et j'ai seulement eu une sensation de froid contre ma langue. Le bout de ses doigts a caressé plusieurs fois ma muqueuse buccale. J'aurais voulu pouvoir mastiquer ses doigts et la boule rose.

28 mai (jeudi) 27 semaines + 3 jours

Plus ma sœur mange, plus son ventre s'arrondit. J'ai déjà vu des femmes enceintes, mais je n'ai jamais suivi leur évolution physique, aussi je l'observe avec un grand intérêt.

Le changement physique commence juste au-dessous de la poitrine. A partir de là, il y a une grosse bosse jusqu'au bas-ventre. Quand on la touche, on est surpris de la trouver aussi dure. C'est parce qu'elle transmet avec fidélité la sensation de ce qui prend corps à l'intérieur. Et cette grosseur n'est pas symétrique : elle est légèrement déformée. Cela aussi me fait frémir.

— En ce moment, tu sais, c'est l'époque où le fœtus a les paupières qui se séparent et le nez qui se perce. Si c'est un garçon, ses organes sexuels qui étaient dans la cavité abdominale sont en train de descendre, m'a-t-elle expliqué posément au sujet de son bébé. Sa transformation m'apparaît d'autant plus inquiétante que les mots tels que fœtus, cavité abdominale ou organes sexuels appartiennent à un vocabulaire peu digne d'une mère.

Est-ce que les chromosomes du fœtus se reproduisent normalement ? Est-ce que des rangs de larves jumelles fourmillent à l'intérieur de son ventre rebondi ? C'est ce à quoi je réfléchis en regardant son corps.

Aujourd'hui, il y a eu un petit accident sur mon lieu de travail. Un employé qui transportait une pleine palette d'œufs a glissé sur un trognon de laitue et a renversé tout son chargement. Cela s'est déroulé près de l'endroit où je faisais ma démonstration de crème fouettée, et les œufs se sont éparpillés sous mes yeux. Ils se sont écrasés un peu partout sur le sol dans une mare glaireuse. Le trognon de laitue a gardé l'empreinte de la chaussure de sport de l'employé. Plusieurs œufs sont tombés sur le rayon des fruits, et les pommes, les melons et les bananes en étaient tout poisseux.

Le directeur du magasin m'a donné un plein sac de pamplemousses invendables. J'étais toute contente de les rapporter à la maison car en ce moment toute nourriture y est la bienvenue.

En posant les pamplemousses sur la table, j'ai eu l'impression qu'ils dégageaient encore une légère odeur d'œuf. C'étaient de gros fruits bien jaunes, de production américaine. J'ai décidé d'en faire de la confiture.

Cela n'a pas été facile de les éplucher et de les évider. Ma sœur et mon beau-frère étaient partis dîner au restaurant chinois. Dehors, la nuit tombait doucement. Il n'y avait aucun bruit, mis à part le couteau qui cognait de temps en temps contre le chaudron à confiture, un pamplemousse qui tombait ou moi qui toussais.

J'avais les doigts tout collants à cause du jus. Les motifs de la pulpe se détachaient nettement à la lumière de la cuisine. La chair des pamplemousses s'est mise à briller encore plus quand le sucre dont je les avais saupoudrés a fondu. Les jolis quartiers de forme semi-circulaire s'entassaient les uns sur les autres dans le chaudron.

Les peaux épaisses, posées négligemment, avaient l'air bête. J'ai enlevé la partie blanche de la peau, avant de couper le reste en petites lanières que j'ai rajoutées dans le chaudron. Du jus de couleur jaune giclait soudain comme pour un être vivant, sur la lame du couteau, le dos de mes mains et la planche à découper. La peau elle aussi avait des motifs. Des dessins irréguliers, semblables à ceux d'une membrane humaine vue au microscope.

Après avoir posé le chaudron sur le feu, je me suis assise sur une chaise pour souffler. Le bruit des pamplemousses qui fondaient en bouillonnant flottait doucement au fond de la nuit. Un parfum acidulé se répandait au rythme des volutes de buée qui s'élevaient du chaudron.

Tout en regardant la pulpe des pamplemousses crever au fond du chaudron, je me souvenais d'une réunion intitulée : "Réfléchir à la pollution des hommes et à celle du globe", à laquelle des amis étudiants m'avaient entraînée de force. Cette réunion qui s'était tenue en salle 313 était plutôt confidentielle, mais les étudiants étaient tous sérieux et intègres. Moi qui étais extérieure au groupe, assise seule à un bureau dans un coin, je regardais l'allée de peupliers de la cour intérieure du campus.

Une étudiante maigre, avec des lunettes démodées, ayant dit ce qu'elle pensait des pluies acides, quelqu'un posa une question extrêmement difficile. Pour tromper mon ennui, je tripotais la brochure qu'on nous avait distribuée au début de la réunion. Sur la première page, il y avait une photo de pamplemousses de production américaine.

"Produit d'importation dangereux !"

"Pamplemousses imprégnés de trois produits toxiques différents avant le transport."

"Le P.W.H. est un produit antimoisissure fortement cancérigène. Il détruit les chromosomes humains !"

Cette page flottait maintenant vaguement devant mes yeux.

Ma sœur et mon beau-frère sont rentrés au moment où l'ensemble, chair et peau confondues, commençait à se transformer en gelée. Ma sœur est venue tout droit dans la cuisine.

— D'où vient cette bonne odeur ? a-t-elle demandé en jetant un coup d'œil à l'intérieur du chaudron sous lequel je venais tout juste d'éteindre le feu.

— De la confiture de pamplemousses, c'est merveilleux.

Elle n'avait pas terminé sa phrase qu'elle plongeait une cuiller dans le mélange bouillant.

— Pas autant que le sorbet à la nèfle, ai-je murmuré. Elle a fait semblant de ne pas avoir entendu et elle a porté sa cuiller à sa bouche avec enthousiasme. Dans sa robe de grossesse toute neuve, avec ses boucles d'oreilles et son sac à main. Mon beau-frère était debout un peu à l'écart.

Elle a mangé plusieurs cuillerées de confiture à la suite. Son ventre proéminent lui donnait un air arrogant. Les fragiles blocs de pulpe glissaient vers sa gorge en menaçant de s'effondrer.

J'ai pensé, tout en regardant la confiture qui tremblait légèrement au fond du chaudron, comme effrayée :

"Est-ce que le P.W.H. détruit vraiment les chromosomes du fœtus ?"

15 juin (lundi) 30 semaines + 0 jour

Il pleut sans arrêt depuis le commencement de la saison des pluies. Le ciel est continuellement gris et plombé, si bien qu'on est obligé d'avoir la lumière allumée toute la journée dans la maison. Le bruit de la pluie, interminable, se répercute au fond de la tête comme un bourdonnement d'oreilles. Elle est si froide que je me demande avec inquiétude si nous allons vraiment vers l'été.

Et pourtant, il n'y a aucun changement dans l'appétit de ma sœur

Elle a visiblement grossi. En accord avec son ventre, de la graisse commence à s'accumuler sur ses joues, sa nuque, ses doigts et ses chevilles. De la graisse blanche, trouble et un peu flasque.

Comme je ne suis pas habituée à la voir grosse, je suis un peu désorientée chaque fois que mes yeux découvrent son corps avachi ourlé de graisse. Elle se contente de manger, sans faire aucunement attention à la modification de sa silhouette, si bien qu'il m'est impossible d'intervenir. C'est comme si son corps s'était transformé en une grosse tumeur qui proliférerait rapidement en toute liberté.

Et je continue à faire de la confiture. Il y a des pamplemousses partout dans la cuisine : dans la corbeille de fruits en osier, sur le réfrigérateur, près de l'étagère à épices. Je coupe la peau, sors la chair, saupoudre de sucre et mets le tout à cuire à petit feu.

Ma sœur mange toujours la confiture très peu de temps après que je l'ai transvasée dans un autre récipient. Elle pose le chaudron sur la table, le serre dans ses bras, y plonge sa cuiller. Elle engloutit la confiture toute seule, sans l'étaler sur du pain. Elle manie sa cuiller et elle mâche avec autant d'énergie que si elle se goinfrait de riz au curry. Je me demande avec curiosité si cette manière de manger convient à de la confiture.

Elle est assise en face de moi et je l'observe. L'odeur acide du jus de fruits mêlée à celle de la pluie flotte entre nous deux. Elle ignore ma présence. Je fais des tentatives :

— Cela ne te donne pas mal au cœur de manger tout ça ?

Ou :

— Si tu t'arrêtais ?

Mais c'est sans résultat. Ma voix est couverte par le bruit de la pluie et de sa langue qui s'emploie à faire fondre la confiture.

Si je garde les yeux fixés sur elle, il me semble que ce n'est pas à cause de sa manière si peu naturelle de manger la confiture, mais pour son corps bizarre. Son ventre a tellement grossi que la combinaison de toutes sortes de parties de son corps (par exemple ses mollets et ses joues, ses paumes et ses lobes d'oreilles, les ongles de ses pouces et ses paupières) en est complètement déséquilibrée. Quand elle avale une cuiller de confiture, la graisse accumulée autour de sa gorge tremble doucement de haut en bas. Les motifs de la cuiller s'incrustent dans la chair de ses doigts boursouflés. J'observe ainsi tranquillement dans le détail chaque partie de son corps.

Après avoir soigneusement léché sa dernière cuillerée, elle murmure, en m'adressant un regard mouillé d'enfant gâtée :

— Il n'y en a plus.

Je lui réponds d'une voix indifférente :

— J'en referai demain.

Et quand j'ai utilisé tous les pamplemousses de la maison pour faire de la confiture, j'en achète d'autres au supermarché où je travaille. Dans ce cas, je vérifie toujours auprès du responsable du rayon des fruits et légumes que ce sont bien des pamplemousses de production américaine.

2 juillet (jeudi) 32 semaines + 3 jours

C'est déjà le neuvième mois. J'ai l'impression que les semaines ont avancé beaucoup plus vite depuis que les nausées ont disparu. Comme si le temps qui avait sédimenté de manière déplaisante pendant la période des nausées avait été balayé d'un coup.

Comme d'habitude, ma sœur passe presque tout son temps à manger.

Mais aujourd'hui, elle est revenue de la clinique M. avec l'air sombre. Je crois qu'on lui a dit qu'elle avait pris trop de poids.

— Est-ce que tu savais que le conduit fœtal pouvait être encombré par des amas graisseux ? C'est pour cela que, quand on a trop grossi, on peut avoir un accouchement difficile.

Elle a jeté son carnet de maternité avec irritation. J'ai aperçu sur la page du suivi de grossesse qu'on avait inscrit en rouge : "Restriction de poids."

— Ils disent que l'idéal est de grossir de six kilos en tout. Je vais certainement avoir un accouchement difficile.

Elle a relevé ses cheveux en soupirant. Elle a déjà pris treize kilos.

— On n'y peut rien, ai-je murmuré en regardant ses doigts boudinés avant d'entrer dans la cuisine pour faire ma confiture.

Car sans m'en rendre compte j'ai pris l'habitude de faire de la confiture de pamplemousses. Je la prépare et ma sœur la mange exactement comme on se coiffe en se levant le matin.

— Tu as vraiment peur d'avoir un accouchement difficile ? lui ai-je demandé, tournée vers le plan de travail.

— Oui, a-t-elle commencé d'une toute petite voix. Ces derniers temps, je pense à toutes sortes de douleurs, tu sais. Je me demande quelle a été la douleur la plus vive que j'ai éprouvée jusqu'à présent, ou si les contractions sont aussi douloureuses qu'un cancer en phase terminale ou une amputation des deux jambes. La douleur est quelque chose de très difficile à imaginer ou à concevoir.

— Tu as raison, ai-je approuvé en continuant mon travail. Elle avait son carnet de maternité à la main. Le bébé imprimé sur l'illustration de couverture était tordu et faisait la grimace.

— Mais ce qui me fait encore plus peur, c'est la rencontre avec mon bébé.

Elle venait de baisser les yeux sur son ventre proéminent.

— Je n'arrive pas à réaliser que l'être qui est en train de grandir à son rythme à l'intérieur de mon ventre est mon bébé. Je le ressens d'une manière abstraite et confuse, et je ne peux absolument pas y échapper. Le matin avant mon réveil, lorsque j'émerge peu à peu du sommeil, il y a un instant où je crois que les nausées, la clinique M. et mon gros ventre ne font pas partie de la réalité. Sur le moment, je suis contente à la pensée que j'ai tout rêvé. Mais dès que je suis bien réveillée et que je regarde mon corps, c'est fini. Je suis envahie d'une infinie tristesse. Je sais que c'est parce que j'ai peur de la rencontre avec mon bébé.

J'entendais sa voix dans mon dos. Le sucre, les petits blocs de pulpe et les lamelles de peau se mêlaient en une masse jaune qui crevait en bulles par endroits. J'ai baissé le gaz et j'ai gratté le fond du chaudron à l'aide d'une grosse cuiller.

— Tu n'as aucune raison d'avoir peur. Un bébé c'est un bébé. C'est moelleux et fondant, ça serre toujours ses petits poings et ça pleure d'une voix insupportable, lui ai-je dit les yeux fixés sur la confiture qui faisait un tourbillon en s'enroulant autour de la cuiller.

— Ce n'est pas aussi simple et touchant que tu le dis. Dès qu'il sortira de mon ventre, il sera mon enfant, que je le veuille ou non. Je n'ai aucune liberté de choix. Même s'il a une tache rouge sur la moitié du visage, si ses doigts sont collés l'un à l'autre, s'il n'a pas de cerveau, si ce sont des frères siamois…

Ma sœur alignait des mots terribles. J'entendais le raclement de la cuiller au fond du chaudron mêlé au bruit poisseux de la confiture.

Je gardais les yeux fixés sur la confiture, tandis qu'une voix murmurait au fond de moi :

“Il y a combien de P.W.H. là-dedans ?”

La pureté de cette confiture qui brillait en transparence à la lumière du néon me faisait penser à une froide bouteille de produit chimique. Dans cette bouteille de verre incolore tremblait le produit capable de détruire les chromosomes du fœtus.

— C'est prêt.

Je me suis retournée, en tenant fermement les poignées du chaudron.

— Tiens, mange.

Je lui ai proposé la confiture. Elle l'a regardée un moment avant de se mettre à manger en silence.

22 juillet (mercredi) 35 semaines + 2 jours

L'université est en vacances pour l'été. Est-ce que je vais devoir supporter la grossesse de ma sœur pendant tout ce temps ?

Mais une grossesse n'est pas éternelle. Elle se terminera bien un jour. Elle finira à la naissance du bébé.

Il m'arrive d'essayer d'imaginer la naissance de ce bébé comme un plus pour mon beau-frère, ma sœur et moi. Mais cela ne marche jamais. Je n'arrive pas à visualiser l'expression des yeux de mon beau-frère soulevant son bébé dans ses bras, ou la blancheur de la poitrine de ma sœur en train d'allaiter. Je ne vois rien d'autre que cette photographie de chromosomes aperçue dans une revue scientifique.

8 août (samedi) 37 semaines + 5 jours

Nous voici enfin dans le mois de l'accouchement. Le bébé peut maintenant naître à tout moment. Le gonflement du ventre de ma sœur a presque atteint ses limites. Au point que je me demande avec inquiétude comment ses organes peuvent continuer à fonctionner dans ces conditions.

Nous attendons tranquillement tous les trois dans la maison surchauffée par la chaleur moite de l'été. Nous attendons en silence le jour dont la venue est imprévisible. Ma sœur respire difficilement en soulevant les épaules, mon beau-frère arrose le jardin au jet d'eau, et on n'entend que le bruit du ventilateur dont la tête oscille faiblement.

En général, quand j'attends quelque chose, ma poitrine se serre d'une légère inquiétude mêlée d'angoisse. Que ce quelque chose soit des contractions ne change rien. Je suis effrayée à l'idée de ce que les contractions peuvent faire sur les nerfs de ma sœur. J'aimerais tant que cet après-midi chaud et tranquille dure indéfiniment !

Malgré la chaleur, ma sœur continue à se gaver de confiture de pamplemousses juste faite, qu'elle avale goulûment sans prendre le temps de la goûter, au risque de se brûler la langue. Son profil baissé a l'air triste comme si elle pleurait. Elle porte sans relâche la cuiller à sa bouche, comme si elle voulait réprimer ses sanglots. Derrière elle, la végétation du jardin est accablée par la lumière. La stridulation des cigales nous enveloppe entièrement.

— Je suis curieuse de voir comment sera le bébé, ai-je murmuré, et elle a interrompu son geste un instant, a lentement battu des paupières, avant de se remettre à manger sans me répondre. Ma pensée s'est alors tournée vers la forme des chromosomes attaqués.

11 août (mardi) 38 semaines + 1 jour

En rentrant de mon travail, j'ai trouvé un mot de mon beau-frère sur la table : "Les contractions ont commencé. Nous allons à la maternité."

Je l'ai relu plusieurs fois. Une cuiller portant des traces de confiture était abandonnée à côté. Je l'ai lancée dans l'évier avant de réfléchir à ce que je devais faire. Puis je suis sortie, après avoir relu le mot encore une fois.

Autour de moi tout baignait dans la lumière. Le pare-brise des voitures et les gouttelettes du jet d'eau du parc brillaient avec éclat. Je marchais les yeux plissés, en essuyant mon visage en sueur. Deux enfants coiffés d'un chapeau de paille m'ont dépassée en courant.

Le portail de l'école primaire était fermé et la cour était déserte. Après il y avait la petite boutique du fleuriste. Je n'y ai vu ni employés ni clients. Des gypsophiles tremblaient légèrement dans leur boîte en verre.

En tournant le coin de la rue, je me suis retrouvée devant la clinique M. Comme l'avait dit ma sœur, le temps semblait s'être arrêté. La clinique M., longtemps encapsulée dans mon souvenir, était là, inchangée devant mes yeux. Un grand camphrier se dressait près du portail, la porte d'entrée était en verre dépoli, les lettres de la plaque étaient écaillées. L'endroit paraissait abandonné, et seule mon ombre se détachait nettement sur le sol.

Si je suivais la clôture, j'allais trouver l'entrée de service. Je ne sais pas pourquoi j'ai pensé clairement que la porte de derrière était certainement restée cassée. Et j'avais raison car il manquait toujours une charnière à la porte.

Je me suis glissée dans l'entrebâillement de la porte en faisant attention à ne pas accrocher mes vêtements aux clous qui dépassaient, et je me suis retrouvée sur la pelouse du jardin. Au moment où j'ai foulé le tapis vert uniformément coupé, mon cœur s'est remis à battre la chamade comme avant. La main posée sur mon front moite, j'ai levé les yeux vers la clinique M. Les vitres ont étincelé toutes ensemble et mes yeux m'ont fait mal.

En me rapprochant lentement du bâtiment, j'ai senti flotter l'odeur de peinture des fenêtres. Il n'y avait pas âme qui vive, pas un souffle de vent, rien qui bougeait en dehors de moi. Je n'ai pas eu besoin d'empiler des cartons d'emballage pour jeter un coup d'œil à l'intérieur de la salle d'examen. Il n'y avait ni médecin ni infirmière. La pièce était plongée dans la pénombre, comme une classe de sciences après les cours. J'ai affiné mon regard pour vérifier que tout était bien en place : les flacons de produits, le sphygmomanomètre, la photographie montrant la position pour redresser un bébé qui se présente par le siège, l'appareil à ultrasons pour les échographies. La vitre sur laquelle j'avais posé ma joue était tiède.

J'ai cru entendre un bébé pleurer dans le lointain. Les vagissements, mouillés de larmes et vibrant faiblement, venaient de l'autre côté de l'éclat du soleil. Si je tendais l'oreille, les vibrations étaient directement aspirées par mes tympans. Le fond de mes oreilles en était tout endolori. J'ai levé les yeux vers le deuxième étage. Une femme en chemise de nuit regardait au loin. La rondeur de ses épaules se reflétait sur la vitre. Ses cheveux ébouriffés couvraient ses joues, gommant l'expression de son visage, aussi n'ai-je pas pu distinguer si c'était ma sœur. Ses lèvres ternes s'entrouvraient à intervalles réguliers. D'une manière fugitive, comme lorsqu'on pleure. Quand j'ai essayé de concentrer mon regard pour en voir un peu plus, la réverbération du soleil sur la vitre a obscurci mon champ de vision.

J'ai gravi l'escalier de secours en me fiant aux pleurs du bébé. A chaque fois que je posais mon pied sur une marche, le bois grinçait dans un chuintement. La chaleur m'épuisait tellement que j'avais une conscience aiguë de ma main tenant la rampe et des cris du bébé qui s'infiltraient jusqu'au fond de mes oreilles. La pelouse s'éloignait lentement de mes pieds, remplacée par une lumière de plus en plus éclatante.

Le bébé continuait à pleurer de manière ininterrompue. L'ouverture de la porte du deuxième étage a brusquement empêché le passage de la lumière, ce qui m'a provoqué un éblouissement. J'étais debout, immobile, en train de concentrer mes nerfs sur les pleurs qui m'arrivaient par vagues, lorsque j'ai fini par distinguer le fond du couloir qui se prolongeait dans la pénombre. Je me suis mise à marcher vers la salle des nouveau-nés, à la rencontre du bébé détruit de ma sœur.

TABLE

227. MADISON SMARTT BELL
Save me, Joe Louis

228. POLIDORI
Le Vampire

229. BETTINA LAVILLE ET JACQUES LEENHARDT
Villette-Amazone

230. TAYEB SALIH
Saison de la migration vers le Nord

231. FÉDOR DOSTOÏEVSKI
Crime et Châtiment, vol. 1

232. FÉDOR DOSTOÏEVSKI
Crime et Châtiment, vol. 2

233. WILLIAM SHAKESPEARE
Hamlet / Macbeth

234. CLAUDE PUJADE-RENAUD
La Danse océane

235. CLAUDE PUJADE-RENAUD
Martha ou le Mensonge du mouvement

236. JEAN-MARC DUROU
L'Exploration du Sahara

237. FRÉDÉRIC H. FAJARDIE
Des lendemains enchanteurs

238. JAN VALTIN
Sans patrie ni frontières

239. BERNAL DÍAZ DEL CASTILLO
La Conquête du Mexique

240. EMMANUEL KANT
La Fin de toutes choses

241. HELLA S. HAASSE
Un goût d'amandes amères

242. THÉOPHILE GAUTIER
Les Mortes amoureuses

243. *
Contes d'Asie Mineure
recueillis par Calliopi Moussaiou-Bouyoukou

244. JEAN-LUC OUTERS
L'Ordre du jour

245. INTERNATIONALE DE L'IMAGINAIRE N° 7
Cultures, nourriture

246. CLAUDE PUJADE-RENAUD
Belle Mère

247. ISAAC BABEL
Cavalerie rouge / Journal de 1920

248. VICTOR HUGO
Lucrèce Borgia

249. MARQUIS DE SADE
Lettres à sa femme

250. JACQUES BERQUE
Les Arabes / Andalousies

251. ZOÉ VALDÉS
Le Néant quotidien

252. EILHART VON OBERG
Tristan et Iseut

253. ROLAND DORGELÈS
Route des tropiques

254. MICHEL TREMBLAY
Douze coups de théâtre

255. PAUL AUSTER
Smoke / Brooklyn Boogie

256. MOHAMMED DIB
Le Talisman

257. ASSIA DJEBAR
Les Alouettes naïves

258. VINCENT BOREL
Un ruban noir

259. RENÉ DESCARTES
La Recherche de la vérité

260. GEORGES-OLIVIER CHÂTEAUREYNAUD
Les Messagers

261. HENRY JAMES
Le Motif dans le tapis

262. JACQUES GAILLARD
Rome, le temps, les choses

263. ROBERT LOUIS STEVENSON
L'Etrange Affaire du Dr Jekyll et de Mr Hyde

264. MAURICE MAETERLINCK
La Mort de Tintagiles

265. FRANÇOISE DE GRUSON
La Clôture

266. JEAN-FRANÇOIS VILAR
C'est toujours les autres qui meurent

267. DAGORY
Maison qui pleure

268. BRAM STOKER
Dracula

269. DANIEL GUÉRIN
Front populaire, révolution manquée

270. MURIEL CERF
Le Diable vert

271. BAPSI SIDHWA
La Fiancée pakistanaise

272. JEAN-PIERRE VERHEGGEN
Le Degré Zorro de l'écriture

273. JOHN STEINBECK
Voyage avec Charley

274. NINA BERBEROVA
La Souveraine

275. JOSEPH PÉRIGOT
Le Dernier des grands romantiques

276. FRÉDÉRIC H. FAJARDIE
Gentil, Faty !

277. FÉDOR DOSTOÏEVSKI
L'Eternel Mari

278. COMTESSE DE SÉGUR
Les Malheurs de Sophie / Les Petites Filles modèles / Les Vacances

279. HENRY BAUCHAU
Diotime et les lions

280. ALICE FERNEY
L'Elégance des veuves

281. MICHÈLE LESBRE
Une simple chute

282. JEAN-PIERRE BASTID
La Tendresse du loup

283. ADRIEN DE GERLACHE DE GOMERY
Quinze mois dans l'Antarctique

284. MICHEL TREMBLAY
Des nouvelles d'Edouard

285. FRANZ KAFKA
La Métamorphose / La Sentence / Le Soutier et autres récits (vol. 1)

286. JEAN-MICHEL RIBES
Monologues, bilogues, trilogues

287. JACQUES LEENHARDT / ROBERT PICHT
Au jardin des malentendus

288. GEORGES-OLIVIER CHÂTEAUREYNAUD
Le Kiosque et le tilleul

289. JACQUES DE VITRY
Vie de Marie d'Oignies

290. ELISABETH K. PORETSKI
Les Nôtres

291. ÉDOUARD AL-KHARRAT
Alexandrie, terre de safran

292. THOMAS HOBBES
De la nature humaine

293. MIKHAÏL BOULGAKOV
Récits autobiographiques

294. RUSSELL BANKS
De beaux lendemains

295. RENÉ GOSCINNY
Tous les visiteurs à terre

296. IBRAHIMA LY
Toiles d'araignées

297. FRANÇOIS PARTANT
La Fin du développement

298. HENRI HEINE
Mais qu'est-ce que la musique ?

299. JULES VERNE
Le Château des Carpathes

300. ALPHONSE DAUDET
Les Femmes d'artistes

301. FRÉDÉRIC JACQUES TEMPLE
Les Eaux mortes

302. FRIEDRICH NIETZSCHE
Vérité et mensonge au sens extra-moral

303. INTERNATIONALE DE L'IMAGINAIRE N° 8
Le Corps tabou

304. NANCY HUSTON
Instruments des ténèbres

305. FÉDOR DOSTOÏEVSKI
L'Adolescent (vol. 1)

306. FÉDOR DOSTOÏEVSKI
L'Adolescent (vol. 2)

307. GÉRARD DELTEIL
Schizo

308. DENON / EL-GABARTI
L'Expédition de Bonaparte en Egypte

309. JEAN-JACQUES ROUSSEAU / MADAME DE LA TOUR
Correspondance

310. MAN RAY
Autoportrait

311. ROBERT BELLERET
Léo Ferré, une vie d'artiste

312. MAXIME VUILLAUME
Mes cahiers rouges

313. HELLA S. HAASSE
Les Routes de l'imaginaire

314. JEAN-CLAUDE GRUMBERG
Dreyfus... / L'Atelier / Zone libre

315. DENIS DIDEROT
Pensées philosophiques

316. LUIS MARTIN-SANTOS
Les Demeures du silence

317. HUBERT NYSSEN
La Femme du botaniste

318. JEAN-FRANÇOIS VILAR
Bastille tango

319. SÉBASTIEN LAPAQUE
Les Barricades mystérieuses

320. ALAIN GHEERBRANT
La Transversale

321. THIERRY JONQUET
Du passé faisons table rase

322. CLAUDE PUJADE-RENAUD
La Nuit la neige

323. *
Mai 68 à l'usage des moins de vingt ans

324. FITZ-JAMES O'BRIEN
Qu'était-ce ?

325. ÉLISÉE RECLUS
Histoire d'une montagne

326. *
Dame Merveille et autres contes d'Egypte

327. ROMAN DE BAÏBARS / 1
Les Enfances de Baïbars

328. ROMAN DE BAÏBARS / 2
Fleur des Truands

329. ROMAN DE BAÏBARS / 3
Les Bas-Fonds du Caire

330. ROMAN DE BAÏBARS / 4
La Chevauchée des fils d'Ismaïl

331. JACQUES POULIN
Volkswagen Blues

332. MIRABEAU
Lettres écrites du donjon de Vincennes

333. CHEVALIER DE BOUFFLERS
Lettres d'Afrique à Mme de Sabran

334. FRANÇOISE MORVAN
Vie et mœurs des lutins bretons

335. FRÉDÉRIC VITOUX
Il me semble désormais que Roger est en Italie

336. JEAN-PIERRE NAUGRETTE
Le Crime étrange de Mr Hyde

337. NADAR
Quand j'étais photographe

338. NANCY HUSTON
Histoire d'Omaya

339. GÉRARD DE CORTANZE
Giuliana

340. GÉRARD GUÉGAN
Technicolor

341. CHARLES BERTIN
La Petite Dame en son jardin de Bruges

342. INTERNATIONALE DE L'IMAGINAIRE N° 9
Deux millénaires et après

343. NINA BERBEROVA
Le Livre du bonheur

344. PÄLDÈN GYATSO
Le Feu sous la neige

345. FÉDOR DOSTOÏEVSKI
Le Double

346. FRÉDÉRIC H. FAJARDIE
Querelleur

347. ANNE SECRET
La Mort à Lubeck

COÉDITION ACTES SUD – LEMÉAC

Ouvrage réalisé
par les Ateliers graphiques Actes Sud.
Achevé d'imprimer
en juin 1999
par Bussière Camedan Imprimeries
à Saint-Amand-Montrond (Cher)
sur papier des
Papeteries de Jeand'heurs
pour le compte
d'ACTES SUD
Le Méjan
Place Nina-Berberova
13200 Arles.

N° d'éditeur : 3108
Dépôt légal
1re édition : octobre 1998
N° impr. : 992669/1